JN055973

逆転思考のキャリア

-“本当の自分”に出会う“海外就職”-

GJJ 海外就職デスク 創業者

田村さつき

アメージング出版

【はじめに】キャリアこそ「逆転」の発想を

思考のワクをひっくり返そう

みなさん、今の仕事は楽しいですか？

働いていて、わくわくする瞬間がありますか？

「はい、毎日楽しくて満足しています！」

できることならば、胸を張ってこう答えたいですよね。でも、そう断言するのは簡単なことではないだろう――それが、人材業界に27年携わり、２万人以上のキャリアを支援してきた私、田村さつきの偽らざる実感です。

キャリアカウンセリングをしていると、毎日いろいろな悩みを抱えた人たちが相談にみえます。

「成長している実感がもてない」

「今の会社を辞めても食べていけるように、確かなスキルが欲しい」

なかには、「やりがいはあるのだけれど、何かが足りない」という人もいます。

そうした悩みを耳にするたびに、また、日々メディアで報じられる日本の労働環境の、決して明るいとはいえないニュースを耳にするたびに、「もったいないな」と思います。

「もっと楽しく働く方法があるのに」、誤解をおそれずに言えば、「もっと楽に働ける方法があるのに」、と。

今、出口の見えない悩みのど真ん中にいる方々からすると、「一体全体どうやって!?」と思われるかもしれません。

それを実現するには、あなたの思考を**「逆転」**させることが必要なのです。

キャリアは組織から与えられるものではなく、みずからの手で築いていくものなのだという**「逆転」**。

専門性とは学位や資格に限られたものではなく、たとえば「話すことが好き」とか「読書が好き」といった資質も働くうえでの専門性になりうるのだという**「逆転」**。

業界や会社名ではなく、「興味の方向性」で仕事を選ぶという**「逆転」**。

さらに言えば、キャリアとは、ポジションや勤め先の変遷だけを指すものではなく、人生全体の道のりを指すのだという**「逆転」**。

このように、みなさんが持っている「仕事」に対するあらゆる固定概念を**「逆転」**させていく中で、「仕事」と「楽しい」が一致し、新しい道が拓けていくのです。

そもそもなぜ、多くの人が働くことについて「つらい」「大変だ」とネガティブな感情を持ってしまうのでしょうか？

それは、自分がいなくなってしまったから。いつのまにか「自分がどうしたいか」という意志よりも、周囲の期待や他の誰かが決めた正解、世間の常識に自分をあわせるようになってしまったからです。

本当は学んでみたいことや挑戦してみたいことがあったけれど、親に反対されて諦めてしまった。

今の会社や部署で認められるために、無理をして評価されるような人材像を演じてしまっている。

もっと得意なことを活かしてのびのびと働いてみたいと思うけれど、そんな甘い現実はないのだと自分に言い聞かせてしまっている。

……振り返ってみれば、自分がいなくなってしまっていますよね？　そんな自分をないいがしろにする働き方は、もうやめましょう。

誰かが用意した正解にあわせて自分を作るのではなく、自分という人間を起点にして、自分にとっての正解のキャリアを作っていきましょう。

キャリアの出発地点を、自分発に**「逆転」**させるのです。それが、「働くことが楽しくなる」の第一歩です。

自分起点のキャリアを作る3つの鍵

2010年、私は「GJJ海外就職デスク」という会社を創業しました。日本から海外へのクロスボーダーな就職支援を専門にする、国内で唯一の会社です。

海外で日本人を必要とする企業はたくさんある。

そして、日本ではなく、海外で働きたいという人材もたくさんいる。

それならば、海外で働きたい人を、日系企業の海外拠点で直接採用してもらおう。当時としては、まだめずらしかった「現地採用」という働き方を提案してきました。

私たちが提供してきたのは、海外で働きたいと願う求職者を、現地の求人情報と機械的にマッチングするだけのサポートではありません。

転職すること、ましては異国の地で職を得ようとすること。それは自分自身の人生を大きく変えようとする、大チャレンジです。そこで私たちは「キャリアの棚卸」という一対一の、そして生涯を通じたキャリアカウンセリングをおこない、「本当の自分」を探し出すプロセスを経て、その人にぴったりフィットする仕事を提案していきます。

きっとみなさんも、学生時代の就職活動にあたっては、さまざまな「自己分析」に取り組んだことと思います。企業が提供する自己分析ツールを使ったり、就職課の先生に相談したり、自分ひとりでじっと考えたり。しかし、そうやって徹底的に自己分析した上で選んだはずの職場で今、悩んでいる。仕事が楽しいと思えず、こんなはずじゃなかったと思っている。いったい、何が間違っていたのでしょうか?

学生だったせいで、社会のことがよく分かっていなかったから?

なかなか内定がもらえず、本来希望していた業界にいけなかったから?

たまたま会社の上司になった人と、性格が合わなかったから?

理由はさまざまあるでしょうが、根本的な原因は1つしかありません。それは知らず知らずのうちに身につけていた、「心の鎧」を脱ぎきれないまま、自己分析を終えていたこと。「本当の自分はどんな人間なのか」という問いに、真剣に向き合うことを避け、世間の常識に縛られたり、周囲の期待に応えようとしたり、本当の自分を見つけきれないまま就職活動に臨み、就職先を決めてきたからです。

もし、心の鎧をすべて脱ぐことができれば、「ゼロ地点の自分」が見えてきます。常識に流されず、同調圧力にも流されない、まっさらな自分です。

そんな心の鎧を「武装解除」していくには、「3つの鍵」が必要です。

私たちが「3つの鍵」と呼んでいるのは、**「興味の方向性」**と**「スキル」**、そして**「価値観」**。

あなたは何に心を動かされて(興味の方向性)、何を得意にすることができて(スキル)、どんな人生を歩みたいと思っているのか(価値観)。

この3つを明らかにしていけば、キャリアの棚卸が実現し、自分にぴったりな職場で楽しくいきます。

その中でも、特に大切なのは**「興味の方向性」**です。

子どもの頃を思い出してみてください。大好きだったおもちゃ。夢中になって読みふけった絵本。日が暮れるまで遊んだかくれんぼ。あれこれ考えるよりも先に、心が引っ張られる方向に手を伸ばし、気がつくと体が動いていたはずです。

そんな素直な欲求の行動の根っこにあったのが「興味」です。「興味があるから」という、誰にもコントロールできない、ひとりひとりが持って生まれてきた欲求。この前向きな衝動を自分のエネルギーにして、さまざまな場面で力を発揮していく。

特に興味の方向性と仕事の内容が近ければ近いほど、楽しく、楽に働いていくことができます。もちろん「おもちゃが好きだから、おもちゃ会社で働く」といった単純な話ではありません。たとえば鉄道のおもちゃが好きだったとした場合、鉄道のどこに興味を惹かれていたのか。運転すること、鉄道のメカニズム、あるいは鉄道によって実現される旅。本当の興味関心はどこにあり、自分は何を求めているのか掘り下げていくのです。

詳しくは本文に譲りますが、このようにして自分を知り、本当の自分を発見していく中で、理想の職場が見つかり、働き方が見つかっていきます。

海外就職という魔法の扉

さて、海外就職の専門家である私が、どうして本書を通じて「逆転思考」をお伝えすることにしたのか。

答えはシンプルで、海外では容易に**「逆転」**ができるからです。

今、働くのがつらいと思っている方々の背景には、「本当の自分」と、「今の仕事・環境」とのあいだにミスマッチがあります。

そのミスマッチの正体を明らかにして、興味の方向性にあわせた方向転換を図っていく。ここまではキャリアコンサルタントのほぼ全員が語るところでしょう。

でも、ここで大きな問題が生じます。

日本では転職をしようとしても、転職先が大きく限られてしまうのです。

ミスマッチが大きい人ほど抜本的な修正が必要なのに、ミスマッチが大きい人ほど、それを修正する転職先が限られてしまう。もっと極端なことを言えば、過去の自分をリセットできる転職先が存在しない。そんな矛盾があるのです。

だからこそ、海外に目を向けるべきだ、と私は断言します。

日本ではなく海外で、なかでもアジア圏で就職をするのです。

これが、あなたの興味の方向性にあわせた仕事へ転換する、唯一の選択肢と言っても過言ではありません。

海外、特にアジア圏では、たとえ未経験だとしても、１８０度の方向転換ができる、というカラクリが存在します。あなたの興味の方向性を生かせる仕事が、今とは全く別の業種や職種だった場合、ただアジア圏だけで、その**「逆転」**が可能になるのです。もちろんアジア圏で活躍後、欧米に渡ったり、日本に帰ってきたりすることも可能です。

これまでのキャリアを大転換させる入口としてのアジア。本当の自分を取り戻す入口としてのアジア。私はこれを強くお勧めしますし、この観点からキャリアプランのあり方を語れるのは私しかいないと自負しています。

「ＧＪＪ海外就職デスク」の創業から14年が経ち、これまで海外に送り出した人の数は１，１００人を超えました。

彼らが活躍する国は、33ヵ国・地域。

タイ、マレーシア、ベトナム、シンガポールを初めとするアジア各国を中心として、アメリカ、ヨーロッパ、オセアニア、南米など世界各国にまたがります。

日系企業でなく、シンガポール、アメリカ、ヨーロッパなどの国で現地の企業に直接採用される、「現地採用」も増えてきました。

１００人いれば１００通りのキャリア。誰ひとりとして同じキャリアはありません。

タイやベトナムで起業した人、アジアの専門家として各国を股にかけて活躍する人、米シリコンバレーやスウェーデンのスタートアップ企業でエンジニアとして奮闘する人。日本に戻って、海外で働いた経験を生かして海外事業に携わったり、なんと市長になって次々と行政改革を実現している人までいます。

海外就職とは、決して楽な選択ではありません。日本で当たり前と思っていたことが通じないことも、言語の壁にぶつかることもあります。

それでも、海外就職をした人は輝いて見えるのです。

自分で思い描いた人生を、自分で叶えていくという覚悟と自信があるように見えるのです。

それは海外就職が、単なるスキルを磨いていける環境であるということにとどまらず、見失いがちな、でも人生に必要なさまざまなことに気付かせてくれるからだと思います。

働くことだけが人生ではありません。でも、人生のなかで「働く」が占める時間はとても長いです。

それならば、「働く」を最大限楽しく、楽にする方法を考えてみませんか？

この本は、働くことに悩んで、変わりたいと願うあなたに向けた本です。

さあ、あなたの「働く」を逆転していきましょう。

もくじ／逆転思考のキャリア－〝本当の自分〟に出会う〝海外就職〟－

第3章　海外で働くという選択肢 ・・・・・・・・ 83

第1章　横並びから飛び出そう

答えのない時代がやってきた

かつて、ＧＪＪ海外就職デスク（以下、ＧＪＪ）に相談に来る人は、「海外で働きたい！」というはっきりとした希望を持っている人がほとんどでした。

ですが最近は、こんな悩みを持つ人が増えてきました。

「このまま今の会社にいてもいいのだろうか」

「会社のなかに、目指したいロールモデルがない」

「もし会社を辞めたら、自分にできる仕事はあるのだろうか」

共通するのは、これから働き続けていくことについての、漠然とした不安感です。

有名企業に勤めている。順調に昇進していっている。高い年収をもらっている。こうした、はたから見ると順調なキャリアを歩んでいるような人でさえも同じです。この漠とした不安感は、日本全体にもやもやと広がり続けていることを実感しています。

いったいこの正体はなんでしょうか？

それは、キャリアに答えのない時代がやってきたからです。

かつての働き方と価値観が崩れさっている。そうした中で、みなさんひとりひとりが働き方と価値観を変えていかなくてはいけない。それだけではなく、みずからが作り上げていかなければいけない。こうした現実に直面しているからです。

みなさんもよくご存知のように、これまでの日本には、新卒一括採用と終身雇用制度という世界でもめずらしい働き方がありました。定年まで働き続けることを前提に、スキルのない若者をまとめて採用し、時間をかけながらその会社の仕事に必要なあらゆる知識やスキルを教えていくという制度です。

長く働くほど給与とボーナスは増えていき、役職につくともっと増えます。福利厚生もあり、家族の生活まで世話をしてくれる。定年まで勤めあげると、老後の生活をある程度保障してくれる額の退職金をもらえる。会社員にとっては、こうしたご褒美がありました。

この時代の会社員にとっての価値観は「会社のために働く」ということ。もっとはっきりと言うと、「『うちの会社』のために働く」ということです。

バブル全盛期に、企業戦士の必須アイテムとしてリゲインという栄養ドリンクが流行しました。「24時間、戦えますか」というＣＭ文句にあったように、「会社のためにどれだけ働けるか」ということが、会社が社員を評価する軸にもなっていました。

会社と社員は約40年という時間をともに過ごすメンバー。「会社のために一生懸命働きます」というやる気を見せることこそが、会社のメンバーとして認められるために重要でした。特に、まだスキルのない若者が会社のために提供できるもの――それは会社への「忠誠」です。上司の言うことが少々理不尽でも、非合理的だったとしても飲み込んで従う。飲み会にもかならず参加し、休日のゴルフにも付き合う。そうして段々と「うち」のメンバーとして認められ、切っても切れない関係になっていく。

こうして会社と従業員が、運命共同体のような関係を結んでいた。これが高度経済成長期以降を支えた働き方です。まさに、一本道を列車のようにまっすぐに全力で走り続けるような働き方でした。

一方で、今はどうでしょうか。20代、30代の社会人で、ずっと同じ会社で働くと考えている人は、ほとんどいないのではないでしょうか。

いちばん大きな理由は、経済の低迷です。

２０１９年に経団連の中西宏明会長（当時）が、終身雇用制度について「制度疲労を起こしている」とその限界について言及する発言をして、大きな注目を浴びました。

高度経済成長期が終わり、かつてのようにモノを作れば作るほど売れるという時代ではなくなりました。バブル崩壊以降の経済停滞により、日本企業は、右肩あがりに上がっていく従業員の給与を払う体力がいよいよなくなってしまったのです。特に、管理職の給与は大きな負担です。こうした状況で、上場企業であっても40代以上を対象にしたセカンドキャリア研修という名の肩たたき、早期退職や役職定年という名のリストラ勧告が飛びかうようになりました。

こうした日本の長年にわたる経済の悪化は深刻で、残念なことに「日本の給与は増えず、海外諸国に比べて低い」というのは、世界の共通認識となりつつあります。

こうして、１つの会社に頼りながら働き続けることがもはやできなくなってしまったのです。

社会環境の変化も影響を与えています。

人工知能（ＡＩ）に代表されるように、技術の革新が急速に進む時代に突入し、ビジネスモデルはどんどん変わっていき、今の会社や仕事がこの先もずっとあるという保証はなくなりました。ロボットはもはや単純作業を代行するだけではなく、人に寄り添い、ぬくもりをあたえる存在にまでなろうとしています。

「人間だからこそできる仕事とは?」。こうした、これまで考えたことのないような問いかけが出てくるほど、私たちの社会は大きく変わってきています。

今の会社や仕事がなくなったとしても、どうしたら働き続けることができるのか。「安定性」にとってかわって「将来性」がキーワードになりました。

今の働く環境をたとえると、こんなイメージでしょう。

大学を卒業して、〝キャリア特急〟に乗車し、ほっと一息をついたものの、目的地が定かではないようだ。ずっと先までレールは敷かれているようだけれど、どこに続いているのかは暗くてよく見えない。この道を進めばいいのか、それとも別の道を行くべきなのか。周りを見渡すと、途中下車して別の道に進む人もたくさんいる。

どこに向かうのも、どうやって向かうのかも自分次第——。

そう、会社員として、ただ会社のために働くのではない。

ひとりの働く人として、自分にとっての「正解」のキャリアを描いて、叶えていく。

そんな姿勢の大転換が求められているのです。

スキルも専門性も何もない？

ＧＪＪの無料カウンセリングに申し込んだ１，０００人（２０２３年５月～同年９月）を対象に、海外就職を志望する理由について聞いたアンケート結果（複数回答）があります。

アンケート結果とカウンセリング内容をあわせると、キャリアに悩む人が何を求めているのかが浮かび上がってきます。

いちばん最初にみえてくるのは、スキルです。

アンケート結果でも「キャリアを積みたい」という回答が1位にきます。

毎日スキルや知識を得ながらキャリアを積んでいるはずなのに、なぜでしょうか。カウンセリングをしていても、「私にはスキルも専門性もないので……」という悩みがよく聞かれます。ひとりの働く人として「これができる」というスキルに自信がもてない。そんな悩みが共通してあるようです。

先ほど、終身雇用制度が崩れつつあるということをお話ししましたが、これまで50年近くあ

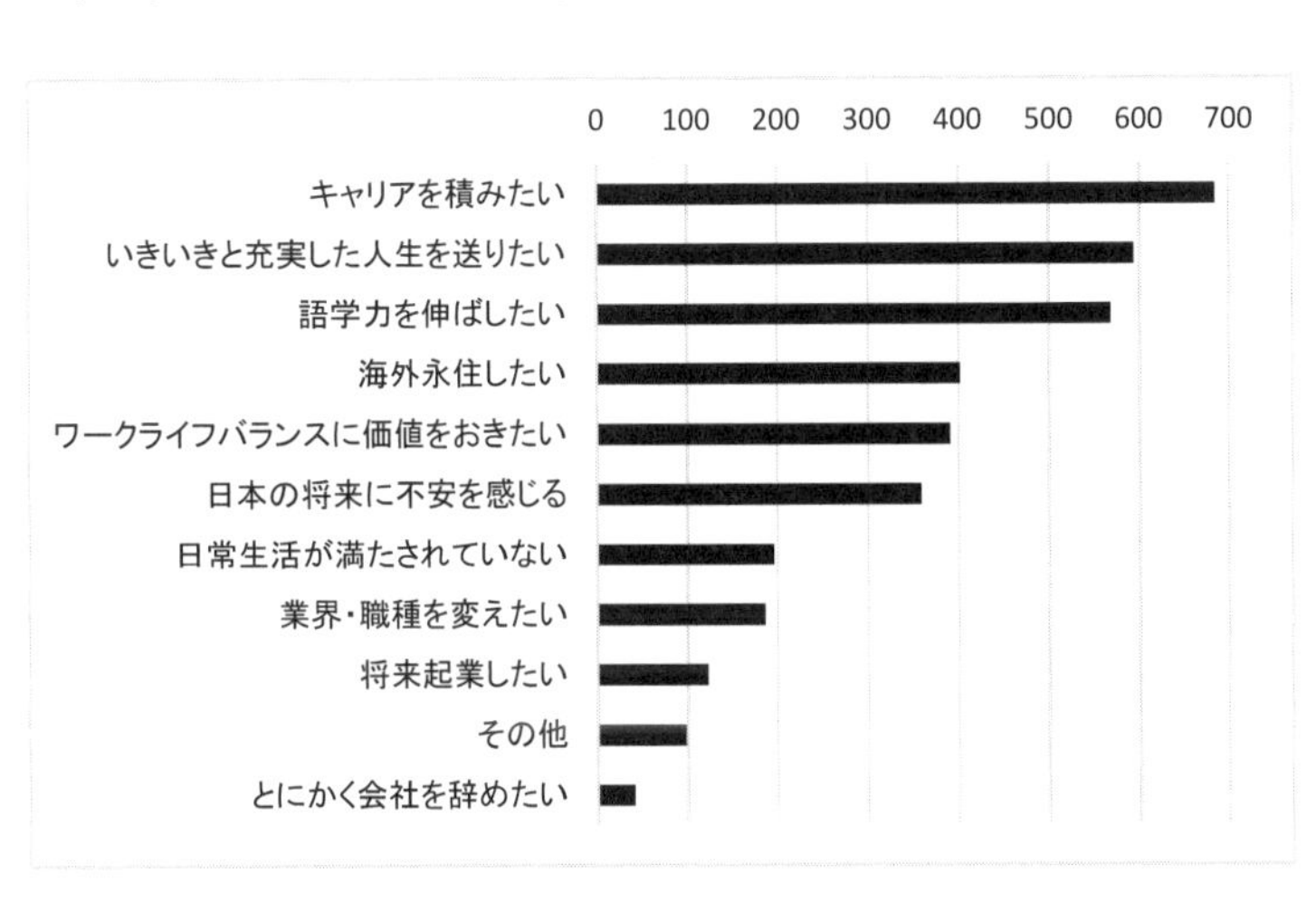

図１　海外就職を志望する理由について聞いたアンケート結果（複数回答）

った制度が一気になくなることはありません。今も終身雇用制度を前提とした採用や育成の制度が残っています。

その1つが、みなさんにもよく馴染みがある総合職という制度です。営業職→マーケティング職→人事職というように、数年おきにさまざまな部署をローテーションして、仕事を経験しながら覚えていくという働き方です。

定年まで働き続ける前提であれば、いい面も多い制度でした。誰しも最初から向いている仕事は分かるものではありません。人と向き合う営業職が向いていなくても、数字を戦略的にとらえるマーケティング職で力を発揮できるかもしれません。経験を積むことで、自分に向いている仕事も、会社についてもよく分かるようになるでしょう。

けれど、その前提が崩れてしまえば「いろいろ経験したけど、結局何ができるようになっているのか分からない」という中途半端な状態になってしまいがちです。いつか会社を辞めることを想定すると、なんの「武器」も持っていないという悩みに直面してしまうのです。

つまり、「キャリアを積みたい」という答えからは、「今の会社の外でも通用するような専門的なスキルや知識を積みたい」という考えがみえてきます。

「語学力を伸ばしたい」という回答からも、英語をはじめとする語学力を、自分の価値を高める「武器」の1つとして手に入れたいという考えがうかがえます。

次に浮かび上がるのは、環境や価値観の変化です。

アンケートでは「いきいきと充実した人生を送りたい」「ワークライフバランスに価値をおきたい」という回答も上位にきます。

裏を返すと、「いきいきと充実した人生を送れている実感がない」「プライベートよりも仕事が優先されている」。そんな現状がみえてきます。

これまでの日本の働き方には、パワハラや過労死というマイナスの面もたくさん現れてきました。多くの悲痛な事件が広く知られるようにもなり、「遅くまで働くほど仕事のできる社員だ」という価値観もなくなりつつあります。

特に、２０２０年初頭からのコロナ禍をきっかけに、在宅勤務も広まりました。かつては、お客さんを訪問しない営業なんて考えられないことでしたが、オンライン会議によるコミュニケーションも当たり前になりました。場所にとらわれない仕事であれば、もはや日本にいなくても、海外に住みながら仕事をすることさえも可能です。飲み会や付き合いも減り、プライベートの時間も増えるようになり、仕事以外の時間の過ごし方について考え直すようになった人も多いようです。

また、カウンセリングで話を聞くと、環境や価値観の変化を望むのは働く環境によるところだけではないことも分かります。

実は、海外就職の相談者には、女性が圧倒的に多いのです。女性たちと話していると、駐在の機会が男性に比べて少ないことや結婚や出産へのプレッシャー、「女性」社員として扱われることへの違和感などの悩みが出てきます。

ジェンダー平等の達成度が諸外国から大きく遅れをとっている日本。女性にとっては、思う存分活躍しにくい現状への息苦しさもみえてきます。

あちこちにひそむ「誰か」の基準

働くことに悩みながらも、自分が何を求めているのかということは分かっている。しかし、いざ実現しようとしても深い悩みにはまって身動きがとれなくなってしまう。カウンセリングをしていると、そんな人がとても多いことに気付きます。

たとえば、「スキルを得るために転職すべきなのか」と考える時。

会社の同僚に相談すると、「今よりいい給料をもらえる会社は少ないよ。福利厚生もしっかりしているし、残るのが安パイでしょう」といわれる。

転職をした人に相談すれば、「今の会社に残って何を得られるの？　若い時こそ、苦労してでも成長できる場所に行くべきだよ」という。

起業している友人をみると、会社員の時の安定した給料はなく、成功の確率なんて確かなものは1つもない。けれど、使命感を持ってひたすらに自分の道を突き進む姿がまぶしく見える。

はたまたSNSや広告に目を向けると、「IT時代」と大きくうたわれ、プログラミングやＷｅｂマーケティングの資格をとるべきかと心が揺れる。

それぞれの選択肢にメリットとデメリットがあり、どの方向に進むべきか確信が持てず、悩み続けてしまうのです。

その理由は、確かな自分がいなくなってしまったから。

みんなにとっての「正解」がなくなってしまった時代で、自分にとっての「正解」を探していかなくてはいけない。でもいったい、何が自分にとっての「正解」なのか？　揺るぎのない、自分だけの確かな基準がないから、他の人の意見や世間の評価に右往左往してしまうのです。それはきっと、これまで「自分」を起点として考える機会がほとんどなかったからでしょう。

日本の社会には、「自分」よりも「みんな」を重視する価値観があります。それは、社会のいろいろなところで見てとることができます。

たとえば、子どもの頃の教育。

ものごころがつく前の幼い頃から、家庭や学校で「周りをよくみて行動しましょうね」と教わりますよね。「友だちが嫌な思いをしていないか？」「周りの人に迷惑をかけていないか？」。みんなのことを考えながら、自分の行動を決めていく。こうしたことを集団や社会における基本的なルールとして教わります。

たとえば、就職活動の時の行動。

就職活動の時期になると、街中に同じ髪型と服装の大学生であふれます。面接会場はもちろんのこと、選考に関係のない合同説明会でさえもみんな同じ格好です。スーツの色も指定されているわけではないのに、グレーや紺ではなく、ほとんど黒一色です。

たとえ「服装自由」とうたっている会社であっても、面接ではほぼ全員が同じ格好で来る。ＴＰＯに適していればスーツを着る必要はないけれど、ひとりだけ違う行動はＮＧだと無意識に思ってしまいます。

そして、いちばん際立つのが会社の採用と育成の仕組みです。先にお話ししたように、まだ多くの日本企業では、終身雇用を前提としたマネジメント手法をとっています。この前提にたつと、会社の大切なメンバーになる人を採用する際に、会社にとって欠かせない条件はなんでしょうか？

それは「『うちの』会社に合うか？」という視点です。つまり、会社の社風や価値観、働き方―仕事に必要なスキルではなく、いわゆる会社の雰囲気に合うのかという点です。

たとえば、メガバンクといわれる大手銀行は、力を入れている事業の強弱はあれ、基本的な業務は同じです。しかし、採用される人や働いている人をみると、会社ごとにはっきりと「カラー」があります。とある銀行は、体育会系の元気で根性があって、何でも「はい！」と返事をして行動する人材。とある銀行では、穏やかでスマートな雰囲気があり、効率よく仕事を処理できるような人材。

こうした会社ごとの「カラー」は確実に存在します。みなさんも就職活動の時には、企業研究やＯＢ・ＯＧ訪問をして、どんな雰囲気の人たちが働いているのかということを会社を選ぶ判断材料にしていたと思います。そして、入社したい会社の人材像に合うように自己PRをした経験が少なからずあるのではないでしょうか。

入社してからも、まだ「研修生」的な立場の若手社員にとっては会社のメンバーとして認めてもらうために忠誠とやる気をアピールすることがとても大事なポイントになります。

もちろん、企業側が採用や育成で評価する視点はそれだけではありません。会社にとっては、人材こそがいちばんの宝なので、ひとりひとりの社員の能力をいかに最大化できるかということに苦心しています。

みなさん側も会社を選ぶときには、自己分析に取り組んで、これまでの経験から「どんな仕事が向いているのか」「どんな仕事を通じて社会に貢献したいのか」ということを真剣に考えたはずです。「自分だったらこんな事業をしてみたい」という大きな希望もあったでしょうし、自分なりの考えを持って仕事に取り組んできたでしょう。

それを否定しているのではありません。

ここでお伝えしたいのは、会社の採用や育成の評価軸にも「『うちの』会社にあうか」という基準が確実にあるということです。そしてその基準がある以上、意識的にも、無意識的にも、会社に自分をあわせるようになっていく。そうした構造があるということです。

こうして知らず知らずのうちに、「自分」が消えていってしまう。そして、「自分がどうしたいか」ということよりも、「自分以外」——「周りの人がどう考えるのか」「会社がどう評価するのか」という判断基準が大きくなっていってしまうのです。

スタート地点はまっさらな自分

もう一度、最初の話に戻ってみましょう。

みんなにとっての働き方や価値観に「正解」がなくなり、これからはひとりひとりが自分にとっての「正解」を探していく時代になりました。つまり、ひとつひとつのものごとを決める判断が「自分はどうしたいか？」という基準になるのです。

ところが、気付いたら肝心の自分がいなくなってしまったのです。

考えてみればおかしな話ですよね。自分のことなのに、自分がどうしたいのかが分からないなんて。けれどこの矛盾こそが、「これからどうしたらいいのだろうか？」という、つかみどころのないもやもやとした悩みを生み出す原因になっているのです。

私はこう提案します。

自分が分からないのであれば、ゼロ地点に戻りましょう。

ものごころがつく前には、誰にも確かにあった「これが好き」「これがしたい」という素直な欲求。考えるより前に、自分の内側から湧き上がり、行動に現れていた衝動。こうした素直な欲求に気付き、自分が何に心が動かされて、どんな人生を歩みたいのかを知ることが、すべての始まりです。

自分が分からない理由は、自分をないがしろにしてしまってきたからです。自分がしたいことよりも、親がさせたいこと。自分が本当にわくわくする仕事よりも、稼げる仕事。自分が本当は心の底で望んでいる生活も、いつからか頭の中にすみついた常識で、はなから無理だと諦めてしまう。そして、今いる環境に納得するために、心にいくつもの鎧をかぶせてしまってきたからです。

親の言うことをよく聞いて頑張ってきた人ほど、そうした傾向が強いように感じます。それは我慢や無理を重ねて働くことにつながり、疲れ切ってしまったり、心や体を壊してしまったりしてしまうこともあります。

「これからどうしたらいいのだろうか」「私に向いている仕事はなんだろうか」と大きな悩みや不安を前に、答えを急いでしまう気持ちはよく分かります。

けれど、答えは自分の外にはありません。「本当の自分」に向き合うという過程のなかだけで、見つけることができるのです。

周りからの期待や世間の常識。そうしたいくつもの心の鎧を脱ぎきって、まっさらな自分に出会うことができれば、とてもシンプルな世界――自分のなかに答えのある世界が見えてきます。

誰にでもある「専門性の原石」

この章では最後に、専門性と興味の方向性の関係についてお話しします。

社会がどんどん移り変わり、1つの会社に頼る働き方もなくなっていくこれからの時代では、長いキャリアのなかで一度は転職をする人の割合が絶対的に増えていくでしょう。だからこそ、ひとりひとりがスキルや専門性を持っているということがとても重要になっていきます。

みなさんの悩みを大きくしている原因の1つに、「資格や特別な経験を持っている人だけに専門性がある」という誤解があるようです。たしかにエンジニアや医者、弁護士といった職業には高い専門性があります。けれど、こうした資格だけを専門性というのではありません。

専門性とは、お金を稼ぐことのできる肩書きのことです。「私はこれが得意で、成果を出すことができます」というスキルに対して、対価をもらうことができたら、それはすべて専門性です。もちろん営業も、事務も、接客も専門性になります。

海外に出ると、「What do you do（あなたは何をしている人ですか）？」という質問をよく受けます。そこで「○○社で働いています」と会社名で答える人はほぼいません。「セールスマネージャーです」、「エンジニアです」と職種で答えます。自分の得意なスキルや専門性が何で、それを通じてどんな成果を出すことができるのかをひとりの働く人として理解をして、自信を持って答えることができます。

これは、会社員としての所属意識が強いと、なかなか持ちにくい意識ではないでしょうか。けれど、「モノを売ることができる」というスキルで対価を得ることができれば、それは営業という立派な専門性なのです。

では、どのようにして専門性は作っていけばいいのでしょうか。

それは興味の方向性を最大限に活かすのです。興味の方向性に沿った仕事をすることでスキルを生み出し、さらに経験を重ねることで専門性を作りあげるのです。

はじめにでお話ししたように、子どもの頃は誰もが夢中になっていることがありました。考えるよりも先に目で追い、手を伸ばし、没頭する。その素直な欲求の行動の根っこにあったのが「興味」です。そして、今もその興味は変わらずみなさんのなかに存在し続け、興味の方向性としてさまざまな形―趣味や仕事の方法、ものごとの見方に現れています。

なぜ興味があるのか。それは、私にとっていちばん面白いことだから。無条件に心が動かされるから。それ以外の理由はありません。興味とは、持って生まれたものであり、生涯変わらないものであり、人それぞれ違うものなのです。

その自然にあふれ出る前向きなエネルギーを仕事にも注いでいくことができれば、面白味も、工夫もうまれてきます。興味がない仕事をする場合に比べて、何倍も簡単に、そして楽に仕事をすることができるでしょう。それはつきつめていくと、人よりも成果を出せること、より多くのお金を稼げるということにもつながります。

誰もが生まれながらに「専門性の原石」を持っているのです。それを発掘し、磨いていくことで、どんな時代になっても生き抜くことができる、あなただけの最強の武器になります。

コラム① 幸せでない日本人？

田村さつき

事業構想の一貫で2023年6月、米フロリダ州で短期語学留学をした経験があります。その際に、GJJ共同創業者でもあり、「留学で日本をもっと自由に」をテーマに留学情報の発信をおこなうウィッシュ・ウッド代表取締役の若松千枝加さんのお力添えで、いくつか現地の語学学校も見学しました。

そのなかには、大学の付属機関の一部として設置されていて、リスニング、リーディング、ライティングなどの英語の授業を受けられるのはもちろん、自分の専門に合わせて大学の講義も受けることができるというユニークな取組をしている学校もありました。

私がお世話になった語学学校は、中南米やヨーロッパなどさまざまな国からの学生が集まっていました。アジア人は私のみだったのですが、知り合った英語の先生が東京で働いたこともある大変な親日家でした。その先生とランチをしながらこんなことを話ししました。

「大好きな日本で働き始めて、朝の通勤電車が止まることが何度かありました。その理由が人身事故と知った時、『あり得ない』と衝撃を受けました。『美しくて裕福な国でなんでそんなことが起こるのか？』と」

しかし、日本で働く経験を通じて、日本の別の側面が見えてきたといいます。

「日本人と働いてみると、すべての仕事がとても細かくて丁寧で驚きました。与えられた対価に対して『やりすぎでは』と思う程に。外からは分からなくても、内面ではストレスを受けているはずです」

日本の働く現状を知るにつれて、満員状態をとうに超したぎゅうぎゅう詰めの通勤電車は、「箱に入れられて強制労働に連れていかれる人のように映った」と言いました。そして最後にこう漏らしました。

「それでも日本が好きで、日本の学生も受け入れたいと思っています。ですが、最近は中国人や韓国人が増える一方、日本人はめっきり少なくなってしまいました」

上がらない給与や円安、物価高、そして世界的に見ても勤務時間が長くストレスが多いとされる労働環境。経済的に暗い雰囲気に包まれていますが、私たちひとりひとりの「働く」を新しくすることで新しい世界が開けると信じています。

２０２３年６月、語学留学をした街＝米・フロリダ州

第2章　ゼロ地点の自分を知る

1 大切なのは「本当の自分」を知ること

自分起点のキャリアをつくる「3つの鍵」

この章では、心の鎧を武装解除し、「本当の自分」を知ることについてお話しします。

本当の自分を知る手がかりを、私たちは「3つの鍵」と呼んでいます。「3つの鍵」とは**「興味の方向性」**、**「スキル」**、**「価値観」**です。「キャリアの棚卸」という1対1のカウンセリングのなかで、この3つの鍵を時間をかけて探し、生まれ持った「興味の方向性」を活かせるキャリア転換を図っていきます。これは、アメリカのキャリア研究者、マーク・L・サビカスが提唱したキャリア理論をもとに、私たちが独自に編み出した手法です。

もう一度、この3つの鍵を定義づけてみましょう。

- 興味の方向性：ひとりひとりが持って生まれてきた、変わることのない関心
- スキル：人よりも得意にすることができること
- 価値観：「どんな人生を歩みたいのか」という人生に対する考え方

これは、あなたのこれまでの「キャリア＝人生」のなかから見つけ出すことができます。働くことにネガティブな気持ちを持ってしまうのは、本当の自分とあなたを取り巻く環境にミスマッチがあるからです。

ミスマッチとは、とても簡単に言えばこういうことです。

人と対話をして相手を知ることが何よりも好きなのに、１人で事務処理をする時間の方が長い経理の仕事を選んでしまった（**「興味の方向性」**のミスマッチ）。

問題を把握して分析することが得意なのに、ルーティーンワークが主な仕事を任されてしまった（**「スキル」**のミスマッチ）。

家族と一緒に過ごす時間を大切にしたいのに、転勤が多く単身赴任をせざるをえない（**「価値観」**のミスマッチ）。

本当の自分を知らないからこそ、ミスマッチのある仕事や環境を選んでしまうのです。だからこそ、「本当の自分を知る」という段階を飛ばしては、あなたの悩みが解消されることはありません。

つまり、本当の自分を知る↓ミスマッチの正体を知る↓３つの鍵にマッチした仕事と環境を選ぶ、という順序です。本当の自分を知ることができれば、進むべき道がおのずと目の前に拓けていきます。

キャリアとはあなたの人生そのもの

キャリアの棚卸の具体的な話に入る前に、まずはキャリアという言葉の意味を確認しておきましょう。

先日、カウンセリングに来たとある女性が言いました。

「私、キャリア志向じゃないんです。だから、この先どう働いていこうかなと困っていて……」

この場合のキャリアとは、昇進や昇給、資格を取得することなどが含まれているのでしょう。簡単に言い換えれば、「上を目指す」ということです。

「バリキャリ」なんて言葉もありますよね。「バリバリ働くキャリアウーマン」を略した言葉で、プライベートよりも仕事で成果を出すことを優先して働く女性のことを指した言葉です。バリキャリを目指しているわけではないけれど、働くのであれば上を目指すしかない。そう思い、頑張ってきて疲れ切ってしまった人たちも多いような印象を受けます。

結果として、キャリアという言葉自体にアレルギーを持ってしまうようです。

みなさん、キャリアとは仕事のみを指す言葉だと思っていませんか？

そうではないのです。**キャリアとは、あなたの人生そのもの**を意味するのです。

決して、会社での昇進や成果を出すこと、資格やスキルを習得することのみを指すのではありません。趣味やボランティア、家事、育児、介護──こうしたすべての経験と時間があなたのキャリアを作っているのです。

これは、アメリカのキャリア研究者、ドナルド・E・スーパー（１９１０～１９９４）が「ライフキャリアレインボー」（図2参照）という理論で定義づけている考えです。スーパーは、人は生まれてから死ぬまで生涯にわたって果たすべきさまざまなライフロール（役割）が存在していると提唱しています。

みなさんの人生には、労働者としての役割だけでなく、子ども、学生、趣味人、親など、ライフステージによって多様な役割があり、いわば人としてさまざまなことを学んでいますよね。スーパーは、こうした人としての学びも仕事での学びと同じく大切で、それぞれが影響を与えあうと説いています。

ちなみに、スーパーはキャリアの古典と言われる研究者の１人ですが、この考えを今から約70年前に提唱しています。さすがキャリア教育の先進国アメリカですね。

　私にキャリアについて教えてくれた先生は、この定義を基に「息をしていてもキャリアです」と解釈して伝えてくれました。

　だからこそ、キャリアの棚卸では、仕事だけを振り返るのではありません。あなたの人生丸ごとを振り返って、３つの鍵を探していきます。

　出産や育児で仕事を休んだり、辞めざるをえなかったりしてキャリアが中断されたように感じている人もいるかもしれません。

　仕事にはやりがいを感じられないけれど、学生時代から続けているボランティア活動ではいきいきと輝いている人もいるかもしれま

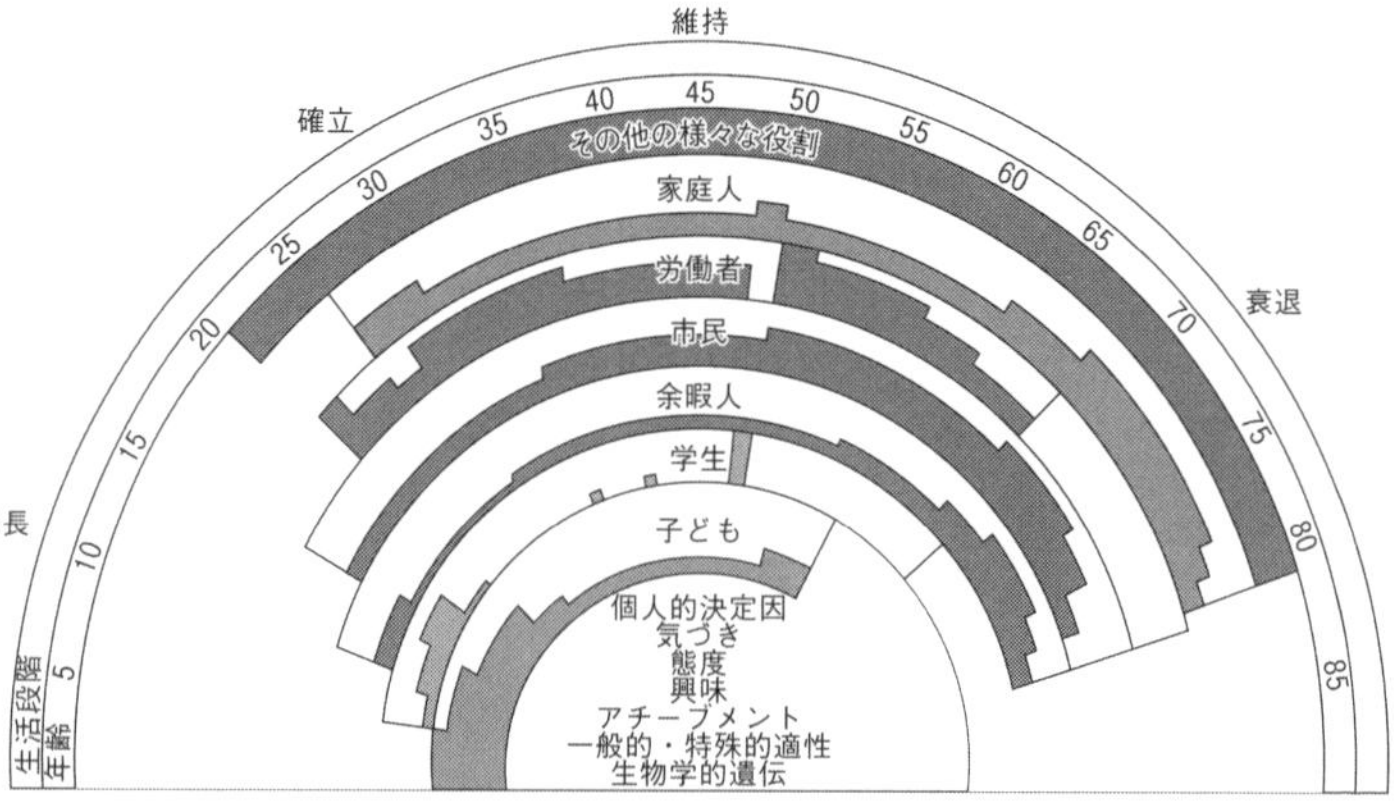

図２　ライフキャリアレインボー
出典：文部省『中学校・高等学校進路指導資料第１分冊』平成４年

せん。

そうした仕事以外の時間にも、キャリアを切り拓いていく3つの鍵が隠れています。どんな活動や仕事であれ、これまでの人生に無駄なことは何ひとつありません。上を目指すことや働くことだけでなく、どんな生き方も大切なキャリアの一部なのです。

それらのさまざまな経験が組み合わさってあなたのキャリアは作られていきます。もちろん、学生でもこれまでの人生を振り返ることで、キャリアの棚卸ができます。

手法①「本当の自分」を知る質問

では、具体的にはどんな質問をしていくと、3つの鍵を見つけ出せるのでしょうか。

質問は人によって違いますが、いくつか代表的な質問を挙げてみます。ゴールは、その人の「キャリア＝人生」を1つのストーリーとして理解することです。

まだ働いた経験が少ない学生や、若手から中堅の社会人に対しては、働く経験以外の出来事についても重点的に質問していきます。

・なぜその高校・大学を選んだのか（＝価値観）
・なぜそのアルバイトやサークルを選んだのか（＝興味の方向性、価値観）
・そこでどのような役割を担ったのか（＝興味の方向性、スキル）

中堅以降の、すでに働いた経験が多い社会人に対しては、これまで取り組んできたなかで代表的に仕事について深堀りして聞いていきます。

代表的な仕事やプロジェクトにおいて、

・上司に言われてやった仕事は何か
・上司に言われずにやった仕事は何か（＝興味の方向性、スキル）
・それほど苦労せずに、人より成果の出た仕事や役割は何か（＝興味の方向性、スキル）

「上司に言われてやった仕事」はさほど重要ではありません。それよりも「上司に言われずにやった仕事」「人より成果の出た仕事」こそが重要です。

なぜなら興味の方向性が隠れているからです。興味があるからこそ、自分から工夫して取り組み、人よりも成果を出すことができるのです。

努力よりも「夢中になった出来事」

とはいえ、こうした質問をしても、ピンとこないこともあるかもしれません。

一時期、採用の担当者のための講師を勤めていた時がありましたが、候補者がどんな人であるかを見極めるためには、次の質問を必ずするようにと伝えていました。

それは、「いちばん夢中になった時はいつですか」という質問です。「いちばん楽しかった時」「いちばんやりがいを感じた時」と言い換えることもできます。

「仕事は仕事。楽しさややりがいを感じるものではない」。こんな風に考えている人からはすぐに返事が出てこないこともあります。

そういう時は、「もしかしたら1日しか経験していないため、履歴書に書いてないかもしれません。そういう経験も含めていちばん記憶に残っていることを教えてください」と尋ねてみます。

するとたとえば、こんな返事が返ってきたとします。

「普段は事務の仕事をしていますが、1日だけ同行した展示会が時間を忘れるほど楽しかったです」

ここに興味の方向性の大きなヒントがあり、深堀りする価値があります。

仕事は、楽しく、夢中になってできることこそに価値があります。

同じ仕事を苦労しながら努力してできる人と、楽しく夢中になってできる人がいたらどちらの人に仕事を依頼するのがいいでしょうか？

後者であるのは間違いないでしょう。

こうしていろいろな角度から質問を重ね、自分では気付くことのできない3つの鍵を掘り出していきます。趣味や家族、これまでの人生で印象深かった出来事などにも触れて、その人を形作る本質を探っていきます。

手法②　スキルに正しい名前をつける

次は、スキルについて考えてみましょう。

日本では、転職の幅が限られてしまうという話をしました。

いちばんの大きな理由は、転職市場では即戦力が重視されるから。そしてもう1つの理由が、スキルに正しい名付けができていないからです。

新聞記者という仕事を例にとってみましょう。

数年前、新聞社に5年勤務した女性が相談に来て、こう言いました。

「新聞記者の仕事って『つぶしがきかない』って言われるんです。でも、私は納得がいかなくて。自分が心からやりがいを持ってやってきた仕事や経験が、そんな希望のない一言で片付けられてしまうんでしょうか」

彼女いわく、新聞記者の先輩や同僚たちはだいたい、同業他社かウェブ系メディアの編集・記者職、もしくは企業の広報に転職していくといいます。しかし、彼女には新たな挑戦をして、可能性を広げてみたいという希望がありました。

新聞記者という職種には、どんなスキルがあると思いますか？

表1　働く経験とスキル

働く経験	スキル
記事の企画 ・情報収集 ・仮説・構成の構築 ・事前準備（取材先の選定及びリサーチ、許可申請など）	企画／コーディネーション力
共感的理解のための取材 ・信頼関係の構築 ・周辺環境のリサーチ（書籍、資料写真、周辺関係者への取材など） ・アクティブリスニング	取材／質問力
記事の執筆 ・構成、取材者保護、校閲	構成／執筆力
強みを打ち出す戦略 ・競合他社分析、自社との比較 ・自社の強みをいかした戦略立案 ・独自記事のための企画、スケジューリング、情報収集	分析／ブランディング力

企画力、取材力、執筆力。思いつくのはこのくらいでしょうか。

確かに、この3つのスキルをもとにすると、転職先は、先に挙げた通りになるでしょう。

ところが、彼女のこれまでのいくつかの代表的な仕事をもとに、質問を重ねていくと、表1のようなスキルが見つかりました。少し、印象が変わってくるのではないでしょうか。

手法③ 興味の方向性から生まれたスキルを見つける

次は、いちばん得意なスキルを探していきます。つまり、「専門性の原石」になるスキル――「興味の方向性」から生まれたスキルです。

新聞記者の事例を引き続き見ていきましょう。

興味の方向性を見つけるために、彼女の記事を読みながら、取材方法やその時心がけていることについても、細かく質問していきました。

すると、「対話を通じて人を理解する」という興味の方向性があることが分かりました。

幼い頃の話も聞いてみると、小説が好きで、時間があればいつも本を開いていたといいます。「なんでこんな行動をするんだろう?」「この人は今どんな気持ちなんだろう?」

と登場人物の心の動きについて、いつまでも考え続けていたといいます。

取材をしていても、相手がどんな立場の人であろうと「その人自身がどんな人なのか？」を知りたいという欲求が強く、それが理解できることに心から喜びを感じるということも分かりました。

それが現れていたのが、質問力というスキルです。持って生まれた「人を理解したい」という欲求が、さまざまな角度から質問をし、本質を探っていく質問力を伸ばしていたのです。

彼女にとっては、質問力こそが「専門性の原石」。このスキルを大事に伸ばすことのできる環境を選んでいくことが、いちばん重要になります。

ちなみに、彼女は「記者であれば当然のスキルなので、得意だと思ったことがなかった」と驚いていました。確かにそうですね。優秀な同僚や上司に囲まれていると、質問力を自分の核となるスキルだと見つけ出すことは難しいでしょう。

しかし、他の記者に比べて、今の自分の質問力がスキルとして優れているか劣っているかなどと考える必要はありません。「相手を理解したい」という純粋な欲求から磨かれた質問力。これは間違いなく、いちばんの武器であり、力を注いでいくポイントだと気付くことこそが大事なのです。

手法④ スキルをリサイクルしていく

最初の彼女の相談にあった「つぶしがきかない」という言葉は、本当にもったいない考え方です。なぜなら、スキルはリサイクルするものだからです。

よく、スキルについてこういうたとえをします。

冷蔵庫のなかに、じゃがいも、玉ねぎ、にんじん、牛肉があったとします。この材料ひとつひとつがスキルです。この材料で今まではカレーを作っていましたが、これからは同じ材料でシチューを作ることもできます。さらに新たな材料（スキル）が増えたら、組み合わせを変えることで、別の料理も作っていくこともできるのです。

つまりどんな仕事でも経験しながら学び、スキルとして得たことが無駄になることは決してないのです。「つぶしがきかない」と考えてしまうのは、自分のスキルを正しく把握して名前を付けられていないだけなのです。

後に専門性になりうる、質問力というスキル。これを磨いていける職業は何か。そう考えたときに、コンサルタントという職種がピンときました。

コンサルタントとは、課題を解決する人たちのことです。社長でさえ把握することが難しい課題を、質問力や分析力を駆使して「真の課題がどこにあるのか？」を特定して、解決に導いていきます。取材を重ねて、「その人の本質はどこにあるのか？」を突き詰めていく質問力がそのまま活用できます。

彼女には、このいちばん強いスキルを磨いていけるように、コンサルタント職を提案しました。そして、人材や金融などいくつかの業界で面接をした結果、会社との相性もあり、タイの会社で、コンサルタントの仕事に挑戦することに決めました。

コンサルタント職という新しい仕事を経験し、彼女がどのようなキャリアを歩んでいくのかはまだ分かりません。しかしこの先、国や職種が変わろうと、彼女にとって核となるスキルは質問力であり続け、これが専門性になることは間違いないはずです。

コラム② 世界中で愛される日本の個性

田村さつき

ＧＪＪ卒業生の活躍の場が増えるにつれ、私も世界中を巡りながら「日本人の活躍できるところはどこか?」「どんなところで日本人は必要とされているのか?」ということを考えてきました。

そのヒントの1つは日本食です。アメリカ、ヨーロッパ各国、タイ、シンガポール、ハワイ─世界中のどこに行っても日本食が地元の人たちから愛されていました。

東南アジア最大の日系企業数を誇るタイ・バンコクの日本人街には、寿司、お好み焼き、焼肉、沖縄料理など食べられない日本食はないほどの充実ぶりで、日本と遜色ないレベルの日本食屋が連日タイ人たちにも大盛況です。

フランス・パリの中心部にも日本食のエリアがあり、お寿司屋さんに行った時は、日本人と分かると、日本語の上手なフランス人が顔をほころばせてしきりに話しかけてきました。

スペインの美食の地と言われるバスク地方を訪れた際は、少し郊外にも足をのばしました。するとそこでは、日本から修業にきたシェフが置いていったレシピをもとに、日本食と融合させた料理を開発していました。食器も日本の陶磁器です。後々調べてみると、「バスクからみた日本料理の世界」など、様々な企画も開催されているようです。

一昔前までは海外で日本人と分かるとまず、「ＴＯＹＯＴＡの車は最高だね」と声をかけられるものでした。それが最近になっては、まず話題に上がるのが日本食や漫画・アニメ、そしてきめ細かなホスピタリティ精神です。文化にスポットライトが当たっているのです。

時代によって注目される業界や職種は変わります。けれど共通していえることは、いつも根底に脈々と流れている日本の個性―繊細さや真面目さが評価されているということです。

どんな時も、どんな国に行っても、どんな仕事をしても、本質にある個性を大切にした先に、他とは違うキラリとした価値を発揮できるのではないでしょうか。

２０２３年２月、美食の街スペイン・バスク地方の軽食「ピンチョス」。色とりどりの食材が美しい

2　3人の事例からみるキャリアの可能性

3人のキャリア迷子の訪問

ここからは実践編です。働くことに悩む3人の若者のキャリアの棚卸をしてみましょう。

ある日、GJJに3人の働くことに悩む社会人が訪ねてきました。業界は異なるものの、3人とも営業職です。日々努力しながら目標達成をしていますが、現状に何かしらのもやもやとした悩みを感じているそうです。

まずは自己紹介を兼ねて、これまでの略歴とGJJを訪ねてきた経緯について聞いてみました。すると次のようなプロフィールが分かりました。

Ａさん（27）メガバンク勤務、個人営業
都内有名私大卒、体育会出身

略歴：新卒入社。親の駐在により幼少期を海外で過ごした経験から、海外駐在が目標。成長できる環境を期待して、体育会出身の先輩も多くいる会社に就職。社内外の接待や飲み会もうまくこなす。好きな言葉は「根性」。

悩み：入社して５年、海外駐在という目標に向けてぶれなかったが、最近周りの友達が転職や起業をする姿を見て焦りを感じている。駐在までに少なくともあと５〜10年かかるため、他の方法がないか考え出した。

Ｂさん（25）専門商社勤務、法人営業
関西中堅私大卒

略歴：新卒入社。努力・忍耐・根性より効率重視。日本生まれ日本育ちだけど閉塞感を感じている。特に労働生産性が低い働き方に疑問を抱いている。社内の飲み会で「残業代は出ますか？」と聞いて叱られた。

悩み：日本の労働環境の慣習や価値観に違和感。すぐにでも海外に出て、自分のスキルを高めて生きていきたい。

Ｃさん（32）メーカー勤務、法人営業
地方国立大卒

略歴：新卒で地元の優良メーカーに就職するも何かが合わず転職。エージェントから紹介を受けるのは同業ばかりで、せめてと思いグローバルカンパニーを売りにしている地元の会社に転職。結局、仕事の内容はあまり変わってない。

悩み：人と接することは好きなので営業職は向いている気がするが、新卒時から感じているもやもやの正体が分からない。英語は好きだが、海外に行くほどの自信はない。とにかくどうしたらいいか分からない。

この3人には、共通点があります。

まず、履歴書に「月に〇〇万円の売上達成」という営業職としての成果を数字でアピールして書いているということです。そして、国内の転職エージェントでは、同業の営業職もしくは似たような業界の営業職しか紹介を受けられなかったという点も同じです。

多かれ少なかれ、海外への興味もあるのも共通していますが、明確に海外に行きたいBさんとは異なり、Aさん、Cさんは海外に行くかどうかの選択肢以前に、自分の進むべき道に悩んでいるようです。

そもそも3人にぴったりの仕事は営業職なのでしょうか？

早速、1つ目の質問、営業目標を達成した手法について尋ねてみましょう。

Q 質問1：どのように営業目標を達成しましたか？

Aさん（27）メガバンク勤務、個人営業
都内有名私大卒、体育会出身

とにかく飛び込み営業が得意です。先輩に言われた通りに数を重視しました。目標を達成するためには、毎日人の２倍、３倍の訪問営業をしました。

Bさん（25）専門商社勤務、法人営業
関西中堅私大卒

交渉が得意なタイプです。数より質だと思っているので、ニーズの把握と提案書の作成に時間をかけて、落としどころを探っていくスタイルです。

Cさん（32）メーカー勤務、法人営業
地方国立大卒

人の話を聞くのが好きです。訪問を重ねてヒアリングするのは苦ではなく、何度も訪問したうえで信頼関係を築き、案件をまとめてきました。

どうでしょうか。

この1つの質問だけでも、同様の成果を出しながらも3人が目標を達成するために使う**スキル**が大きく異なることが分かります。

3人の特徴的なスキルを4つずつ挙げててみましょう。

Aさんは協調性、忍耐力、適応力、課題実行力 Bさんは思考力、問題解決能力、全体把握力、分析力 Cさんはコミュニケーション力、関係構築力、傾聴力、受容力

3人に適した仕事も当然異なってきそうですね。

次の質問をしてみましょう。

Q 質問2:「いちばん楽しさを感じるのはどんな時ですか?」

Ａさん（27）メガバンク勤務、個人営業
都内有名私大卒、体育会出身

社内で表彰されて、先輩や上司に認められる時です。先月も支店内の若手 MVP に表彰された時は思わずガッツポーズが出ましたね。その後、先輩たちに飲みに連れて行ってもらってもっと頑張ろうと思いました。それともちろん、お客さんから感謝されるのも自分の存在意義を感じられて嬉しいです。

Ｂさん（25）専門商社勤務、法人営業
関西中堅私大卒

クライアントから難しいオーダーを受ける時ですかね。従来通りにいかず、難しければ難しいほど、「じゃあどう解決できるかな」と考えて答えを出していく過程が結構好きです。逆に、新人の時に先輩の下について回って言われた通りに仕事をしなければいけない時は本当に面白くなかったですよ。

Ｃさん（32）メーカー勤務、法人営業
地方国立大卒

やっぱりクライアントから感謝されたときですね。「わざわざ来てくれてありがとう」と言ってもらえるので、遠い訪問も全く苦ではないです。でも、よく考えてみると私の場合、お客さんと話すこと自体が純粋に楽しいかもしれません。もちろん仕事なので案件につなげなければいけないのですが、仕事の話や雑談をしながら、親しくなっていく過程がとても嬉しいですね。

この質問からは、**興味の方向性**が分かります。

自分がいちばんわくわくする、楽しいと感じることを意識することが大事です。

Aさんは、他者と一緒にチームで活動することに興味の方向性がありますね。大学時代に部活動に励んだのもその現れでしょう。幼い頃から友達や仲間を大事にしながら、学生時代を過ごしてきた姿が目に浮かびます。

Bさんは、複雑な問題や課題を解決していくことに興味があるようです。起業家や経営者に多いタイプで、こうしたタイプは理論に当てはめて考えていくのも好きな人が多いです。

Cさんは、純粋に人に対する興味が強いですね。人と話して相手を理解することに興味があるからこそ、クライアントの話をよく聞いて案件をまとめていくというスタイルに自然となっているのでしょう。

さて、ところでどうして今の会社に就職したのでしょうか？人生で大きな選択をする時の理由からは、その人の**価値観**を理解することができます。

Q 質問3：「なぜ今の会社に就職しましたか？」

Ａさん（27）メガバンク勤務、個人営業
都内有名私大卒、体育会出身

親に「成長するなら大手」と言われてきたので当然大手狙いでした。大手ということはそれだけ社会に大きく貢献できるということでもあるじゃないですか。部活の先輩も多く就職しているので、社会人になってからも一緒に働いて仲間として認められたら嬉しいですしね。給料もよくて、駐在のチャンスもあって福利厚生も整っている。こういうとこに就職できたらモテるかなっていうのも正直なところです。

Ｂさん（25）専門商社勤務、法人営業
関西中堅私大卒

正直、就活出遅れましたね……。とにかく枠にハマった窮屈さから抜け出したかったので、海外に関係する会社や、専門的な経験を積めるような会社も受けたりもしましたが、書類で落とされることも結構ありました。学歴がネックだったかもしれません。本当は自由に興味のある分野を突き詰めていくっていうのが憧れだったんですが。この会社に行きたかったというより、この会社しかなかったって感じです。

Ｃさん（32）メーカー勤務、法人営業
地方国立大卒

親も周りも地元に就職するのが割と一般的な考えだったので、地元の優良企業をいろいろと見て回りました。メーカーが多い地域で、私自身も人と接するような仕事の方が興味があったので、文系出身だと選択肢は自然と営業職になります。転職時は、英語も好きではあるし、地元だけでなくもう少し外の世界にも興味があって、１社目よりグローバル展開をしている会社を受けてみました。

価値観というのは、「どんな人生を歩みたいのか」というその人の生き方に対する考え方を表しています。興味の方向性とも重なり合う部分があります。

Aさんは、組織や人に誠実な生き方を価値観として持っています。個より集団を大事にする人ですね。自分が大事な仲間や組織に貢献できて、存在意義が認められていくことに価値を感じています。

Bさんは、自由に挑戦できる生き方を求めています。そして専門性を持って好奇心を追求していくというのも大切な価値観としてあるようです。

Cさんは、人と人とのつながりを感じることがとても大切なのですね。海外に興味を抱き始めたのも、もっと色んな人と接しながら生きていきたいという価値観の現れかもしれません。

さあ、最後に海外に興味を持つ理由について聞いてみましょう。この質問からは、どんな環境の変化を求めているのかを知ることができます。**価値観と興味の方向性**のより深い理解につながります。

Q 質問4:「なぜ海外就職に興味がありますか?」

Aさん（27）メガバンク勤務、個人営業
都内有名私大卒、体育会出身

う〜ん、親の姿を見て当然だと思ってあまり考えてみたことなかったですけど、グローバルに活躍したいっていう気持ちはずっとありますね。かっこいいじゃないですか。英語を使って、ビジネスクラスに乗って、世界を股にかけるビジネスパーソンになれたら。

Bさん（25）専門商社勤務、法人営業
関西中堅私大卒

日本生まれ日本育ちなんですけど、なんだか小学生の頃から違和感があったんですよね。教室で１つの決まった答えを学ぶ環境とか……。働き始めてからその違和感は強くなりました。なんでアナログで効率の悪い働き方で残業しなきゃいけないんだろうって。自分の意見が大事にされる海外の方が自分に合ってるんじゃないかって思います。

Cさん（32）メーカー勤務、法人営業
地方国立大卒

そうですね…やはり英語を使って仕事をしてみたいです。自信はないんですけど。地元もいいけれど、もっと外の世界に触れてみたくなったのも理由です。これまで同じような環境の人と仕事をする機会が多かったんですけど、違う価値観にも触れてみたくなったのかもしれません。

いかがでしょうか。ようやく、3人の持つ「興味の方向性」「スキル」「価値観」ともやもやの正体が分かりました。

3人の本当の姿

3人の「興味の方向性」「スキル」「価値観」を図表化してみるとこのようになります。
同じ営業職でありながら3人の「興味の方向性」「スキル」「価値観」が全く異なることがよく分かりますね。ということはもちろん3人にぴったりの仕事や環境も違ってくるはずです。

さあいよいよ、3人に適した仕事を提案していきましょう。その前に、もやもやの正体を明らかにすることも忘れてはいけません。ミスマッチを解消

	Aさん（27）	Bさん（25）	Cさん（32）
興味の方向性	・他者と協働すること ・他者を手助けすること	・問題や課題を解決していくこと ・理論に当てはめること	・人を理解すること ・人を理解するためにさまざまなコミュニケーションをとること
スキル	・協調性 ・忍耐力 ・適応力 ・課題実行力	・思考力 ・問題解決能力 ・分析力 ・全体を把握する力	・関係構築力 ・コミュニケーション力 ・傾聴・受容力 ・協調性
価値観	・組織や人に忠実・誠実な生き方 ・自分の存在や貢献が社会的に承認される生き方	・専門性を持って好奇心を追いかけていく生き方 ・自由な環境でとことん挑戦していく生き方	・人と人との繋がりを感じられる生き方 ・人の役に立てていることを実感できる生き方

してこそ、よりよいキャリアを歩めるからです。

Aさんの場合

Ａさんの「興味の方向性」「スキル」「価値観」と今の仕事や環境を比べたとき、ミスマッチはないようです。今の職場環境も価値観に合っていますし、「相手の求めるものを提供していく」という営業という職種も、興味の方向性に合致しているといえるでしょう。

しかし、現状の社内制度では、海外駐在が実現するまで入社から10～15年かかります。「もっと早く海外で経験を積みたい」という希望が満たされていないことがもやもやの正体です。

そんなＡさんには、大きく３つの選択肢があります。

①アジア現地採用として転職

今すぐに海外で働きたい場合、いちばんの近道は、海外の現地法人に直接就職をすることです。興味の方向性からは、営業職も向いています。金融業界の営業職に挑戦するのであれば、職務経験もかわれて、いろいろな選択肢があるでしょう。

②別会社の海外事業部への転職

海外事業部のポジションに転職することで、日本から経営的な視点で海外事業に携わることもできます。長期出張の機会もあれば、現場をよく知ることもできます。

③今の会社に残る

海外で働くことを検討しながら、今の会社で引き続き働き海外駐在を目指すことも1つの方法です。もしくは、社内で海外事業に携われる部署に異動希望を出すのもいいでしょう。「興味の方向性」「スキル」「価値観」と今の環境にミスマッチがなく、社内に希望を叶えることのできる機会がある場合、必ずしも転職をする必要はありません。このような選択をして、状況を見守りながら長期的にキャリアを検討する人もいます。

Bさんの場合

Bさんは、今の仕事と「興味の方向性」「スキル」「価値観」のすべてにおいてミスマッチがあります。Bさん自身もすでにそのミスマッチに気づいていて、海外で挑戦する強い意志があるので、Bさんには**アジア現地採用**に挑戦することを提案します。

Bさんは、裁量を持って働くことを望んでいます。Bさんの「興味の方向性」「スキル」「価値観」を活かすためには、業界、職種、そしてポジションのすべてにおいて転換が必要でしょう。

そこで、Bさんには次の２つを提案します。

①経営・戦略を担えるポジションへの転職

Bさんは問題を解決することに興味の方向性があり、それが全体把握力や思考力、分析力といったスキルに現れています。そのスキルを活かせるのは、経営や戦略を担うポジションです。

Ｂさんが興味を持てる業界であれば業界は問いません。

営業職のような現場の最前線ではなく、経営企画や事業戦略、営業マネージャーなど会社全体の経営が分かるポジションでスキルを磨いていくことが望ましいです。

②経営コンサルティング会社への転職

経営コンサルティング会社に転職をして、外の立場から経営・戦略に携わるというのも選択肢の1つです。企業の社長や役員レベルの人たちともクライアントとして対面する機会に恵まれるでしょう。いろいろなプロジェクトを担当することで、あらゆる業界や会社の経営・戦略について学ぶこともできます。

Ｂさんは新卒の時に、年功序列があまり関係ないようなカルチャーをもつベンチャー企業に就職していたら、これほどミスマッチを感じなかったかもしれませんね。

Cさんの場合

Cさんの今の環境との最大のミスマッチは、「興味の方向性」です。人への関心が強いため、営業自体は適職の1つと言えます。しかし、純粋な人への興味が強く、モノへの興味が薄いため、メーカーでモノを売るということに面白味を十分に感じられなかったのでしょう。業界の転換が必要です。

また、多様な価値観に触れたい、英語を使いたいという意思もあります。

そこでCさんには、Bさん同様、**アジア現地採用**で挑戦することを提案します。

Cさんは「人への興味」を最大限活かすことのできる業界に挑戦してみるのがいいでしょう。たとえば、ホスピタリティ業界や人材エージェント。もしくは、教育サービスなど、間接的に人をサポートする業界もいいかもしれません。

人と接する営業職自体は向いていると思うので、必ずしも変える必要はありません。国と業界を変えて経験を積むことで、自分が本当に得意なことや、やりたいことが見えてくるでしょう。

コラム③　羽鳥慎一のモーニングショー

田村さつき

　2023年9月、羽鳥慎一のモーニングショーに海外就職の専門家として出演させていただきました。お題は「海外脱出で年収5倍も　円安で加速　さらば〝安いニッポン〟」。

　2022年10月に出演して以来、約1年ぶりでした。1年前は、歴史的な円安が急速に加速している最中だったことから、海外に「出稼ぎ」に行って給与が何倍にもなる人たちを各局が取り上げ、世のなかに驚きを与えました。

　今回は、そこから一歩深化した内容でした。それは、海外で働くには専門性が必要ということ。「海外に行きたい！」という強い気持ちももちろん大切なのですが、「何ができるのか」を明確にしなければいけません。番組で登場したのは、寿司職人、獣医師、起業家たちでしたが、いずれも専門性をしっかり持っていました。

　GJJ卒業生の方にも1人登場頂きました。中国・上海でホテリエとして活躍する青木高義さん（42）です。青木さんは、日本では高級レストランのソムリエやマネージャーを経験、33歳でシンガポールに渡り、リゾート施設の飲料統括を勤め、現在は上海で新規レストランブランドの立ち上げ責任者として働いています。

年収は日本で約500万円、シンガポールで約1600万円、上海で約2500万円。なんと日本にいたときの5倍です。これは、単に海外だから稼げるということではなく、青木さんが専門性の原石として眠っていた興味の方向性を厳しい環境で磨き続けたからにほかなりません。

番組の最後で、海外留学も海外就職も、男性より女性が多いという話題が取り上げられました。この点について、番組放送後に、米シリコンバレーでエンジニアとして働く、とあるGJJ卒業生がハッとする視点を投げかけてくれました。

彼いわく、日本の男性はいろんな意味でゲタを履かされている、つまりキャリアで女性よりも優遇されている実感があるといいます。「でも、逆にそれが挑戦することへの足かせになっている一面もあるのではないでしょうか」

私はいつも、海外就職の背景には、労働問題があると考えてきました。海外就職が一時的な流行ではなく、継続的なテーマになりつつある。それだけでなく、その奥にある労働問題やジェンダー問題にまで光が当たる時代がいよいよ到来したのだなと感じています。

3 いちばん大切なのは興味の方向性

興味の方向性を圧倒的に突き詰めた人

最後にもう1つ、興味の方向性が大切であることがよく分かる事例を紹介します。

数年前、大手自動車会社のエンジニアから相談を受けました。東京工業大学大学院を博士課程まで修了し、大手自動車会社にエンジニアとして入社。エンジン開発に携わり、30代半ばでアメリカ駐在中という絵に描いたようなエリートです。

しかし、日本では指折りのエンジニアが「このままエンジニアとしてやっていく自信がない」というのです。理由を聞いてみると、アメリカの支社には、アメリカのみならず、インド、シンガポールと世界中から優秀なエンジニアが集まってきている。そうした人材と働くうちにあることに気づいたというのです。

「自分と同じ仕事を10分の1の時間でできる人たちがいる」

彼自身も努力をすれば成果を出すことができる。しかし周りの同僚たちは自分より遥かにたやすく成果を出していく。その「どうしようもなく違う」圧倒的な差を見せつけられたといいます。

自分自身を振り返ってみれば、幼い頃から勉強がよくできたといいます。なかでも理数系が得意だったため、東京工業大学へ進学を決意。博士課程終了後は、晴れて日本を代表する会社に入社し、エンジン開発に関わるという経緯でした。

一方で同僚たちは、幼い頃からの根っからの車好き。いつもボンネットを覗き込んで、エンジンの仕組みに夢中になったり、Ｆ１のスピードに魅了され、Ｆ１レースを毎日見て過ごしてきたりしたような人たちでした。

興味の方向性を圧倒的に突き詰めた先に今のエンジニアとしてのキャリアがあったのです。

世界のトップレベルの専門性を持つ人たちであり、飛び抜けた事例に思えるかもしれません。しかし、興味の方向性と仕事の内容が近いほど、仕事に注げるエネルギーは大きく、成果として現れてくということ。これはどんな仕事であっても同じです。

今この本を手に取って下さっている方のなかには「今さら興味の方向性を見つけ出しても遅いのでは……」と思う方もいるかもしれません。でも残りの働いて過ごす時間を考えてみてください。心の底では、少なくない残りの時間を、もっと自信とやりがいを感じて働きたいと願っているのではないでしょうか?

「今から見つけ出すのでも遅くないですよ」と私たちは伝えています。

海外という逆転の発想

あなたを突き動かす「興味」が、大事な理由を理解していただけたと思います。

ここで、問題が発生します。

興味の方向性と今の仕事にミスマッチがある場合、国内で解消することが限りなく難しいのです。

たとえば、新卒で入社した物流会社で営業職を5年経験した転職希望者がいたとします。

転職エージェントに相談した場合、同業他社の営業職、もしくは専門知識を買われて担当していた業界(電子部品担当であれば電子部品メーカー)の営業職などへの転職を勧められるというケースが多いでしょう。なぜなら、日本の転職市場で重視されるのは、「即戦力として活躍できる人材か?」という視点だからです。

だからこそ、「銀行出身だったら転職先は、大体○○か○○」「公務員出身だったら転職先は、大体〇〇か〇〇」など、転職先の候補がなんとなく固定化してしてしまっているのです。

働くことを楽しくするためには、興味の方向性に沿った仕事への転換が絶対条件です。けれど、このミスマッチを解消する方法が国内では見つからない。転職していった周りの同僚をみても、大体似たような転職をしている。「こういうものなのかな」と納得させつつも、行き詰まりを感じてしまった人もいるでしょう。

こうした時こそ、発想を「逆転」させるのです。

国内で選択肢がないのであれば、海外では?

そう、アジア圏であれば、興味の方向性にあわせた転職の可能性が大きく広がっているのです。未経験の業界や職種であっても、180度転換ができるというカラクリが存在しているのです。これが、働くことに悩む人にとって大きなチャンスとなるのです。

さあ3章では、いよいよ海外就職のリアルについてお伝えします。今まで海外に興味がなかったあなたも、少し考えが変わるかもしれません。

コラム④　経済を回せ！　アメリカの価値観

田村さつき

2021年9月〜10月にかけてアメリカの東海岸から西海岸まで16州を横断しました。コロナ禍真っ只中のこの時期でも、前後の隔離は必要でしたがアメリカへは渡航することができました。日本はもちろん全員マスク着用。マスクをしていない人を過剰に攻撃する「マスク警察」なんて言葉も流行ったように、マスクをせずに外に出るのは考えられない状況でした。

一方でアメリカは、アジア人の多い西海岸ではマスクをしている人もいるものの、東海岸に行けばほとんどマスクをしている人を見かけませんでした。

2022年2月〜3月にかけて今度は東海岸のフロリダを訪れました。するとスーパーマーケットの入口に「マスク着用禁止」の張り紙が張られていたのです。入口には警備員も立っていて、マスクをして入店しようとすると「外しなさい」と注意を受けました。

実はこれ、万引き対策なのです。物価の急上昇という背景も相まってなのか、万引きが増え、マスク姿では防犯カメラに映った犯人を特定できないというのが理由でした。

コロナ禍でも入国を閉ざさない方針に加えて、経済を回すことを第一にするアメリカらしさを実感した出来事でした。

そして、この出来事により感じたことがもう1つ。目的が変われば、それに応じて臨機応変に行動を変えるアメリカの柔軟さです。感染防止から経済活性へ目的を変えた瞬間、あらゆる行動指針が変わっていくのです（正しいかは別の問題ですが）。ルールを守ることに忠実すぎて、時に目的から外れてしまう日本との違いを感じました。

相談に来る人のなかには、「日本生まれ日本育ちだけれど、日本の慣習になんだか馴染めない」という人も結構います。日本で窮屈さや違和感を覚える人々にとっては、こうした点もアメリカの魅力に映るのかもしれません。

２０２２年２月、東海岸ではマスクをしている人を見かけない。ＵＮＩＱＬＯは現地の人たちで賑わっていた＝米フロリダ州オーランド

第3章　海外で働くという選択肢

1 私にもできる？ 海外就職のリアル

誰にでもチャンスがある

ところで、海外就職と聞いてどのようなイメージを持ちますか？帰国子女、高学歴のエリート、留学経験のある人、英語力がずば抜けて高い人。こうした人たちだけが実現できると思っていませんか？ そんなことはありません。海外就職は必要な準備さえすれば、誰にでもチャンスがあります。

これまでＧＪＪを通じて海外就職をした人のなかには、高校、大学を卒業したばかりで働く経験がないまま海外就職をした人もいれば、相談にきた当初はＴＯＥＩＣ２００点台と英語が全くといっていいほどできなかった人もいます。

働いている会社の規模や業種、職種も関係ありません。

実際にこれまであらゆる業種の人たちが海外就職をしてきました。職種だけを挙げても、営業やエンジニア、経理・財務、事務・アシスタントはもちろんのこと、理学療法士、データサイエンティスト、公務員、教員などさまざまです。

国によって、需要が多い業種や職種があるのは事実です。けれど、こうした条件に捉われるのではなく、「３つの鍵」をしっかりと見つけて、それを最大限実現できる国や業種、職種を選んでいきましょう。

目指したい国や仕事があり、今のスキルではすぐに実現できない場合は、それを叶えるためのプランを立てていくという考え方です。

とはいえ、海外で働くということを考えたことがなかった人にとっては、具体的な働くイメージを持ちにくいかと思います。

まずは、ＧＪＪのデータを通じて、海外就職について知っていきましょう。

ＧＪＪ卒業生が働く国、世界33ヵ国・地域

ＧＪＪを通じて海外に渡航した人たちを、ＧＪＪの卒業生と呼んでいます。卒業生が働く国は現在33ヵ国・地域（図３参照）。その多くはアジアですが、アメリカ、ヨーロッパ、南米、中東、オセアニアなど世界中で活躍しています。

これまで海外就職をした人は１，１００人超。毎年、１００人前後が海外に渡っています（図４参照）。

２０２０年からのコロナ禍においても、海外就職者数はそれほど減っていません。国境が封鎖されて、いつまた自由に国の移動ができるのか見通しが全く分からず、一時的に採用が中断された時期はありましたが、現地の日本人人材の需要と、海外就職を希望する人たちは変わらず存在し続けたのです。

その結果、２０２０年は87人、２０２１年は86人が渡航。続く２０２２年は１０３人、２０２３年は１０２人が渡航し、海外就職の状況は、コロナ禍以前と変わりなく旺盛です。

ＧＪＪへの問い合わせ件数（図５参照）を見てみましょう。

２０２３年は３，２００件を超える問い合わせがありました。これは、セミナーに参加してくださったり、カウンセリングに申し込んでくださった方々の人数です。

このなかには、提携先の人材エージェントや知人からの紹介という方が一定数います。その他の方は、みずから「海外就職」「海外　求人」などのキーワードでインターネット検索をして問い合わせをされたということです。

ということは、行動には移していないけれど、「海外就職について考えたことのある人」の母数は、問い合わせ件数の何倍、何十倍にもなると想定されます。

海外就職に関心を抱いている人の数は、想像より多いのではないでしょうか。

日本、韓国、中国、台湾、香港、シンガポール、マレーシア、タイ、ベトナム、インドネシア、インド、フィリピン、ミャンマー、カンボジア、ラオス、バングラディシュ、ＵＡＥ、ジョージア、チェコ、イギリス、ドイツ、オランダ、スウェーデン、スイス、ベルギー、イタリア、マルタ、メキシコ、ジャマイカ、アメリカ、カナダ、オーストラリア、ニュージーランド

図３　ＧＪＪ卒業生が働く３３ヵ国・地域

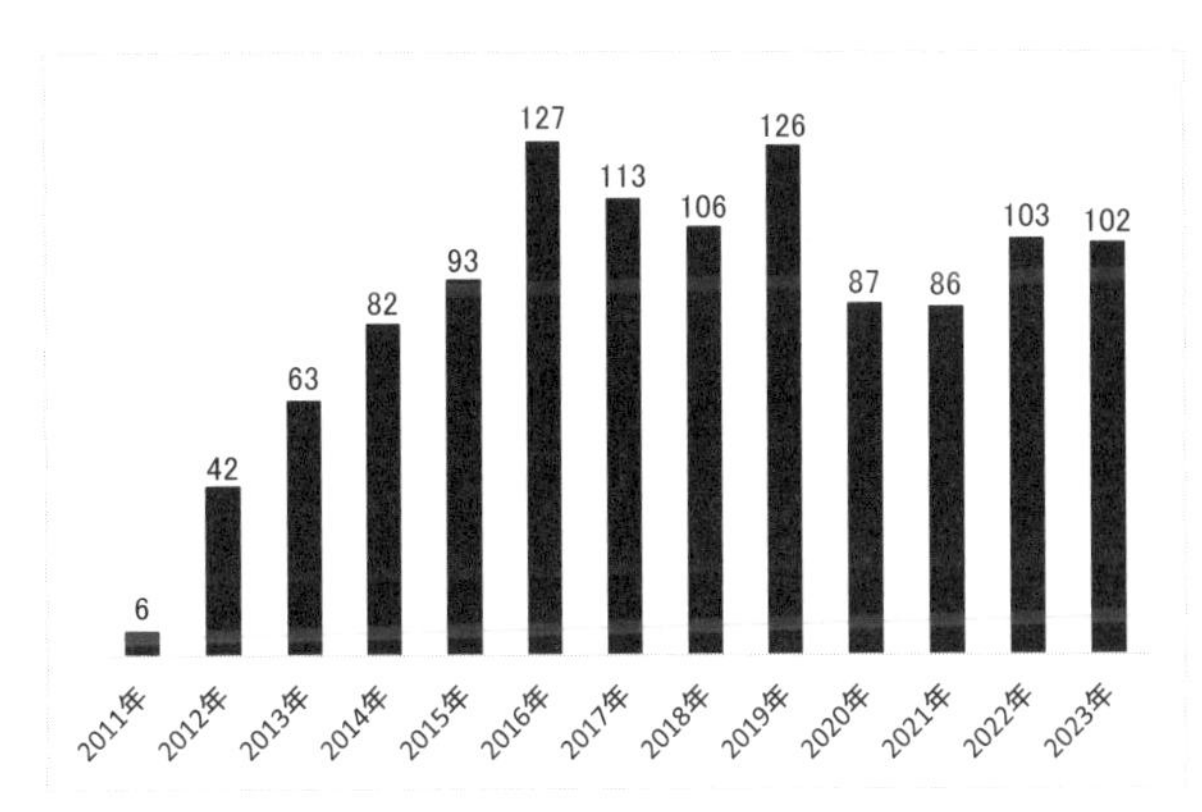

図４　海外就職実現者数

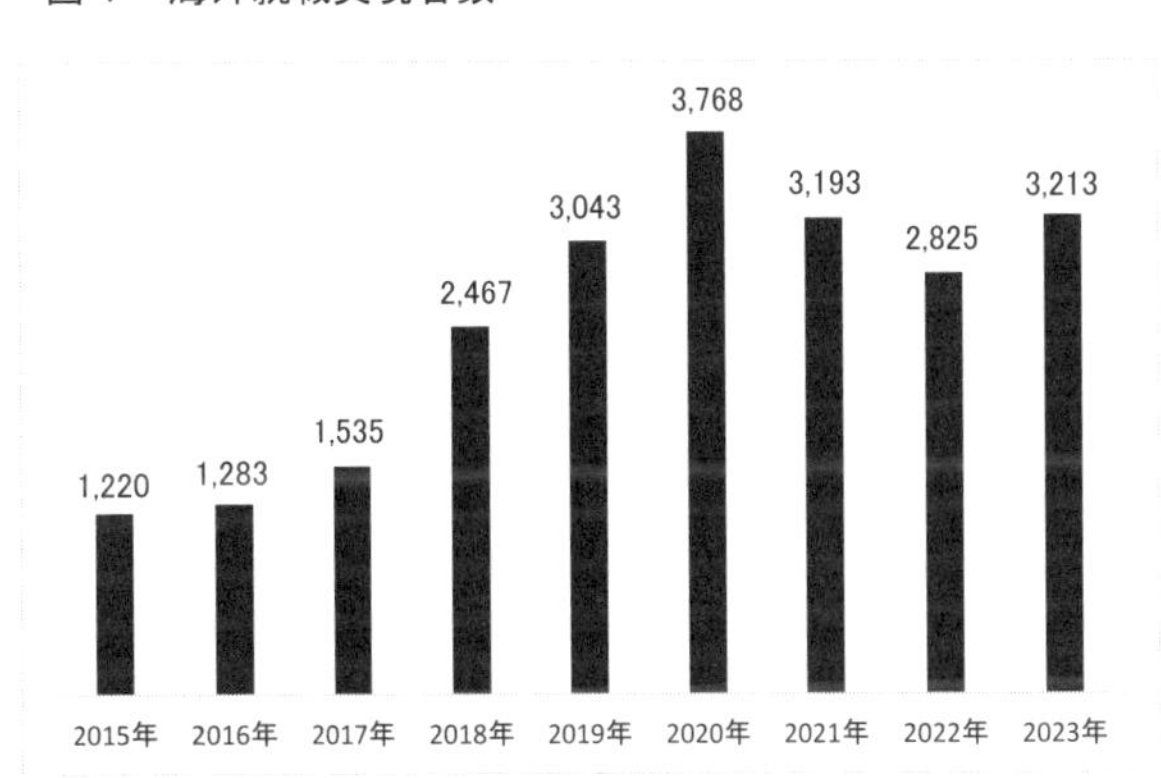

図５　ＧＪＪ問い合わせ件数

じわじわ広まる海外就職

海外就職をした人のデータに戻ります。図６は海外就職者の年齢層の内訳です。事業開始当初から一貫して、20代、30代が全体の約９割を占めます。

しかし実は、２０１９年頃を境に、30代が増えはじめ、海外就職を目指す動機にも変化が見られるようになりました。

当初、海外就職の主な層は20代。閉塞感のある日本を飛び出して、刺激のあるアジアで成長したいというのが主な動機でした。この層は、１９９０年代のバブル崩壊以降、経済停滞が続く「失われた20年」に生まれ育った世代です。

一方で、アジアはまさに経済成長の真っ只中。若者が社会と経済の中心として活躍し、ぐんぐん成長して

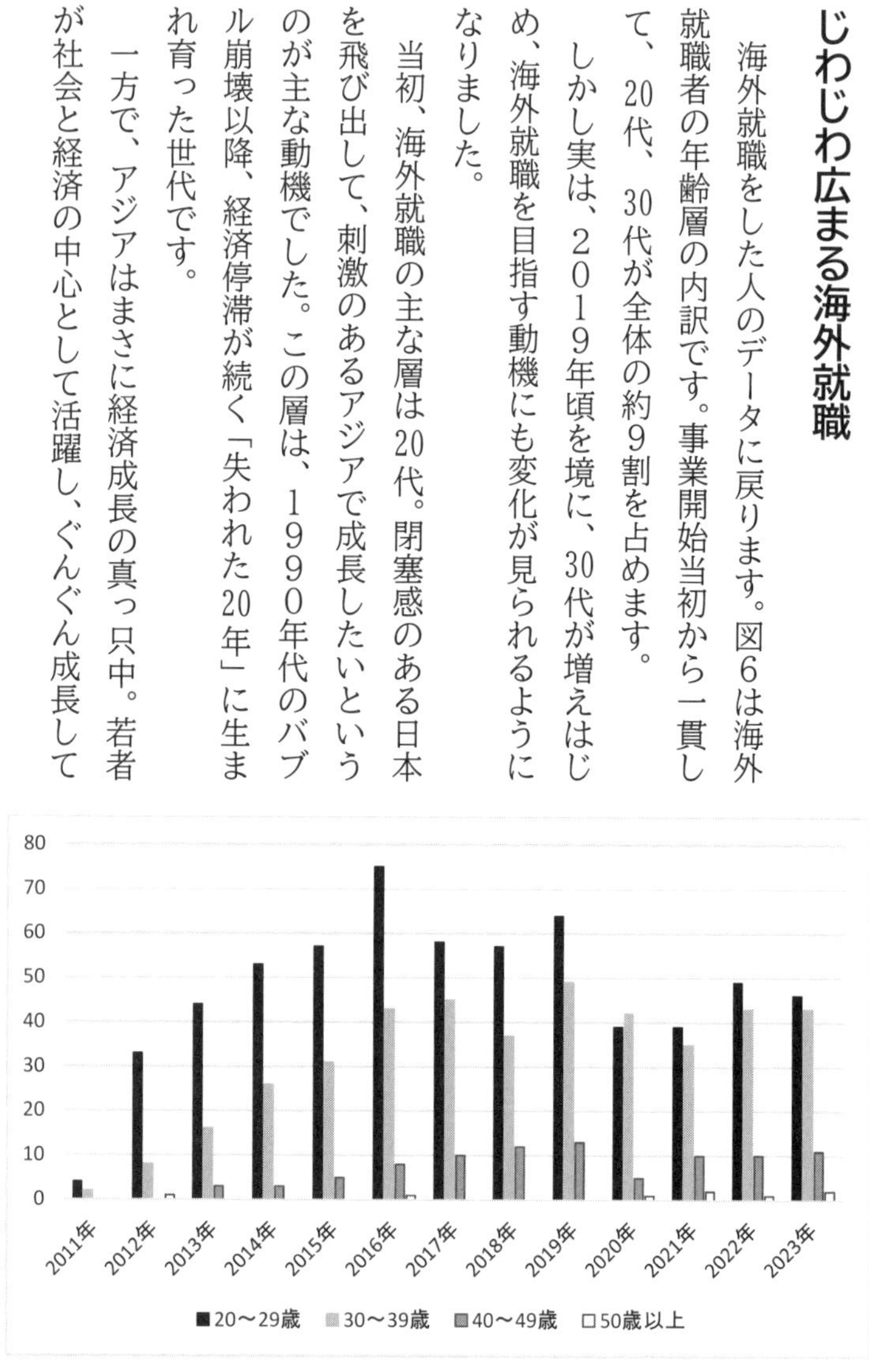

図６　海外就職実現者（年齢別の内訳）

いく環境がありました。日本での閉塞感をバネにして、こうして多くの若者がアジアへ旅立っていたのです。

それが２０１９年を境に、30代の中堅層が４割を超えるようになりました。結婚して、子どもを持つ人も多い30代は、当初はあまり想定していない層でした。

彼らの多くは、海外へ渡る理由として次のような点を挙げます。

・今の会社で働き続けていても、この先のキャリアが見えてしまっている
・早期退職や役職定年の知らせが回り、経営の悪化を感じずにはいられない
・子どもの将来のためにも、広い世界を見せてあげたい

上場企業に勤めていたり、役職についていたり、いわゆるエリートといわれるような人たちも増えてきています。少し前までであれば、世間一般的に、「転職する必要のない人」と思われていたような層までもが、会社や日本の将来を危ぶんで海外就職を考え始めています。かつては一部の人が目指していた海外就職が、選択肢の1つとしてじわじわと広まってきています。

最初の一歩はアジア現地採用

現在33ヵ国・地域で活躍している卒業生たちですが、最初からアメリカやヨーロッパで就職した人はほとんどいません。これまで海外就職をした人の9割は**アジア日系企業の現地採用**というポジションで最初の一歩を踏み出したのです。

そこからのキャリアはさまざまです。現地に根付いて現地の専門家として活躍する人、同じ国、もしくはアジアの別の国で転職する人、目標だった欧米での就職を実現する人、日本に戻って以前よりよい待遇で働く人——。

求められる語学力（主に英語）の水準が欧米ほど高くなく、新卒や職種が未経験でも挑戦できる土壌がアジアにはあります。そして文化、商習慣的にも日本と近しいものを持っており、日本人というだけで歓迎される雰囲気もあります。

「日本人であること」を活かしながら、海外で働く経験を積むアジア現地採用という働き方があるのです。

ところで、現地採用とはどんな働き方でしょうか。

ごく簡単に説明すると、本社ではなく、その国（現地）の法人で直接採用される雇用形態のことを現地採用といいます。
国際国家のシンガポールを例にとってみましょう。

①　日系企業のシンガポール現地法人での採用
②　シンガポール企業の現地本社での採用
③　外資系企業のシンガポール現地法人での採用

このいずれも現地採用です。

アジア日系企業の現地採用とは、これは①の形態のことを指します。多くの人が①の形態から働き始める理由は、②、③の形態の企業に比べて、日本人人材への需要がいちばん多いからです。

自分で選べるというメリット

海外で働くというと、日本本社から現地法人へ出向する駐在員という働き方を思い浮かべる人が多いでしょう。

そうした人からは、「現地採用のメリットは何ですか？」と聞かれることがあります。

それはまさに、自分のキャリアを自分で築いていけるということです。

日本では、総合職、エリア（地域）総合職という働き方がありますよね。

総合職は会社の人事に従って、全国転勤の可能性があります。一方で、エリア（地域）総合職は、勤務する地域が限られ、原則として転勤がない。こうした違いがあります。

駐在員と現地採用の違いも、同じように理解することができます。

駐在員は会社の人事命令によって、会社が指定した国へ赴任します。しかし、現地採用は自分で選んだ国で働くことができます。異動辞令もないので、働く期間も選ぶことができます。

キャリアの棚卸によって、自分の得たいスキルや環境が明確になれば、それを実現できる国と仕事を、自分の望むタイミングで選ぶことができる。これが駐在員では叶えることができない、最大のメリットといえます。

「若手のうちから海外で活躍できると聞いて入社したのに、実際は違った」

「駐在を約束されて採用されたのに、海外事業の業績悪化で、赴任予定がなくなってしまった」

「そもそも全然関係ない部署に配属されてしまった」

海外で働きたいのに、今の会社ではいつ実現できるか分からない。こうした理由で、会社を辞めて現地採用という働き方を選んだ人も多くいます。

また、駐在のチャンスが回ってきたとしても、行きたい国に行けるとは限りません。特に、海外事業の規模が大きく、拠点数が多ければ多いほどそうです。

海外と一口に言っても、食事、宗教、気候や国民性など合う国と合わない国があるものです。家族がいる場合は、パートナーとその国の相性、そして子どもの教育環境も重要です。駐在先がルーレットのように決まる状況では、それらすべてを満たすことは簡単なことではないでしょう。

また、駐在員として赴任し、3年で帰任命令が出たけれど、その国での生活環境が気に入り、会社を辞めて現地採用のポジションで仕事を見つける人もいます。

もちろん、現地採用として家族帯同で行く場合も、すべての条件を満たすのは容易ではありません。しかし少なくとも、キャリアや生活・教育環境などさまざまな要素を考慮した上で、納得して選ぶことができます。

そして、帰任命令もないため自分が満足するまでいることを選択することも、別の国で経験を積むことを選択することもできます。もちろん、日本に帰ることもです。

ただし、海外に関わらずすべての就職に当てはまることですが、採用には、常に需要（企業のニーズ）と供給（提供できるスキル）、そして運が影響します。自分の希望が１００％通るかは、また別の問題です。そこについては後でお話しします。

社長ポジションも？ 高まる現地採用の重要性

海外就職について少し知っている人はこう思うかもしれません。

「確かに、行きたいタイミングで行きたい国と仕事を選べるのはいいかもしれないけど、現地採用って駐在員のサポート程度の仕事ではないですか？ 待遇もあまりよくないと聞いたこともあるし……」

かつては、こうした側面もあったかもしれませんが、近年は興味深い変化がおきています。現地法人社長や工場長などの、現地のトップマネジメントを、現地採用で募集する案件が増えているのです。

なぜでしょうか？　その変化の兆しは2019年頃からありました。現地採用で働く人のなかには、5年、10年と長い期間、現地に根付いて働いている人もいます。

すると、「3～5年おきに交代する駐在員ではなくても、現地採用に事業を任せてもいいのではないだろうか？」と考える企業が出始めてきたのです。現地の言葉を流暢に話せたり、現地スタッフや現地の顧客との長年の信頼関係を築けているという点も大きなポイントです。

その変化を一気に加速させたのが、2020年初頭からのコロナ禍です。新型コロナウイルスの流行により、国境が封鎖されるという誰も予想できなかった事態が起こりました。

当時、多くの日本企業は駐在員を家族ごと帰国させ、現地に駐在員が不在の期間が3年ほど続きました。その間、現地で中心となって事業を動かしていたのが現地採用です。帰国し、リモートワークに切り替える人たちもいましたが、現地に残る人が多数でした。

これをきっかけに、「トップマネジメントまで現地採用に任せても問題ないのではないか？」と考え始めた企業が明らかに増えたのです。

結果的に、国の行き来が可能になった後も駐在員を戻さずに、現地採用をトップとして事業を回し続けていることを選択した会社が多くありました。

待遇においてはどうでしょうか。一般的に駐在員は日本本社から、現地採用は現地法人からの給与が支払われます。そのため、現地採用の給与は現地の通貨になります。円安下では、これだけでも現地採用にとって大きなメリットになります。

加えて、ここ数年アジア諸国の経済の発展は著しいです。

タイを例に取ってみましょう。タイでは、日本人を含む外国人の最低月収は5万バーツと法律で定まっています。給与水準は業種や経験の有無によってさまざまですが、求人票では月6万～10万バーツ程の水準が一般的です。

仮に月収が8万バーツ、ボーナスが年に2回、1か月分で、年収が112万バーツだったとしましょう。私たちがアジアに送り出しを始めた2010年10月は、1バーツ約2・7円（112万バーツ＝302万円）でした。それが2015年10月は、1バーツ約3・3円（同369万円）、2023年10月時点では約4・2円（同470万円）です。

現地の給与額がそのままだとしても、日本円換算すると、13年間で168万円上がる計算になります。

また、経済水準が上向きのアジア諸国では、もちろん現地の給与水準も上がっていくため、給与が横ばいということはまずありません。外資系企業や現地企業で働く場合は、その年の会社の業績や貢献に応じて、自分で給与やボーナスの交渉をすることもよくあります。

一方で、厚生労働省の統計によると、同期間の日本の１人あたり賃金（名目・実質ともに）の水準は横ばいです。

経済の成長と若い世代が活躍するエネルギーを全身に感じながら、今日よりも明日が良くなっていくことを実感できる。それがアジアで働く醍醐味の１つでもあります。

スーパー現地採用！　求めるものを叶えていく

かつては現地採用といえば、バックパッカーが気に入った国に定住するための手段というイメージもありました。給料が安くても、物価も安いから、好きな国で好きな生活をしようと。

ＧＪＪの事業構想のきっかけは、２００８年のリーマンショックでした。世界各国が経済回復をみせるなか、日本の景気回復の遅さが目立ちました。しかし、海外市場においては興味深い動きがありました。

国内で打撃を受けた日本企業が、相次いでアジアへ進出していったのです。その時、「日本企業がアジアに進出するということは、日本人人材も必要になるだろう」という仮説を立てました。

そこでアジア各国を訪問して、仮説が正しいのか、現地へ進出している日本企業と現地の日系人材エージェントにヒアリングをして回りました。

すると、「日本と現地の橋渡しとなる日本人は、喉から手が出るほど欲しい」という意見があちこちで聞かれました。人材の需要については確信を持ちました。

しかし、当時は目覚ましい経済発展の最中といえども、国や地域によってはインフラも十分ではありません。日本と比べて生活、給与水準も大きく劣っていました。一体全体どんな人がアジアで働きたいと思うのか。そうした人がどれだけいるのか。見当もつきませんでした。

ところが、実際に事業を開始してみると「なぜこんなに優秀な若者が集まるのだろう」と戸惑うほど、海外で働きたいという意志をもつ若者が集まってきたのです。

そうした現象がメディアにも注目され、2012年前後には、全国紙やテレビ局、ウェブメディアからの取材が殺到しました。NHKではインドネシアでの密着取材も受け、「アジアで花咲け！　なでしこたち」というタイトルで放送されて反響を呼びました。

それから約10年。今度は円安の影響を受けて、再び海外就職が注目を浴びています。

この現象は一体なんなのでしょう。

これまでを振り返って気付いたことは、当時と今と動機は変われど、海外就職者には「はっきりと求めているものがある」ということです。

スキル、語学力、経験、多様な価値観、人生の充実感、ワークライフバランス、挑戦できる環境—自分が求めていることをよく理解して、それを実現するために海外に行くことを決意しているのです。

アジア圏で働く場合、日本と比べて給与水準が下がることもあります。けれど、このように人生に向き合うことができれば、仕事内容も待遇も、そして人生への満足度も、いつか自分が望む以上のものが得られるようになるのだと卒業生たちをみて実感しています。

望んだものを自分で叶えていく。まさに、スーパー現地採用の誕生です。

海外就職で求められる要素

海外就職は必要な準備さえすれば、誰にでもチャンスがあるとお話ししました。具体的には、次の4つの要素が必要になります。

まず、**①英語力、②価値観の異なる人と協業する力と③専門性。**

そして、もう1つ大きな要素が**④ヒューマンスキル**です。

国や職種、会社、ポジションによって求められるバランスは変わります。

それぞれの要素について説明していきましょう。

①英語力

海外で働く以上、英語力は必須です。アジア圏よ

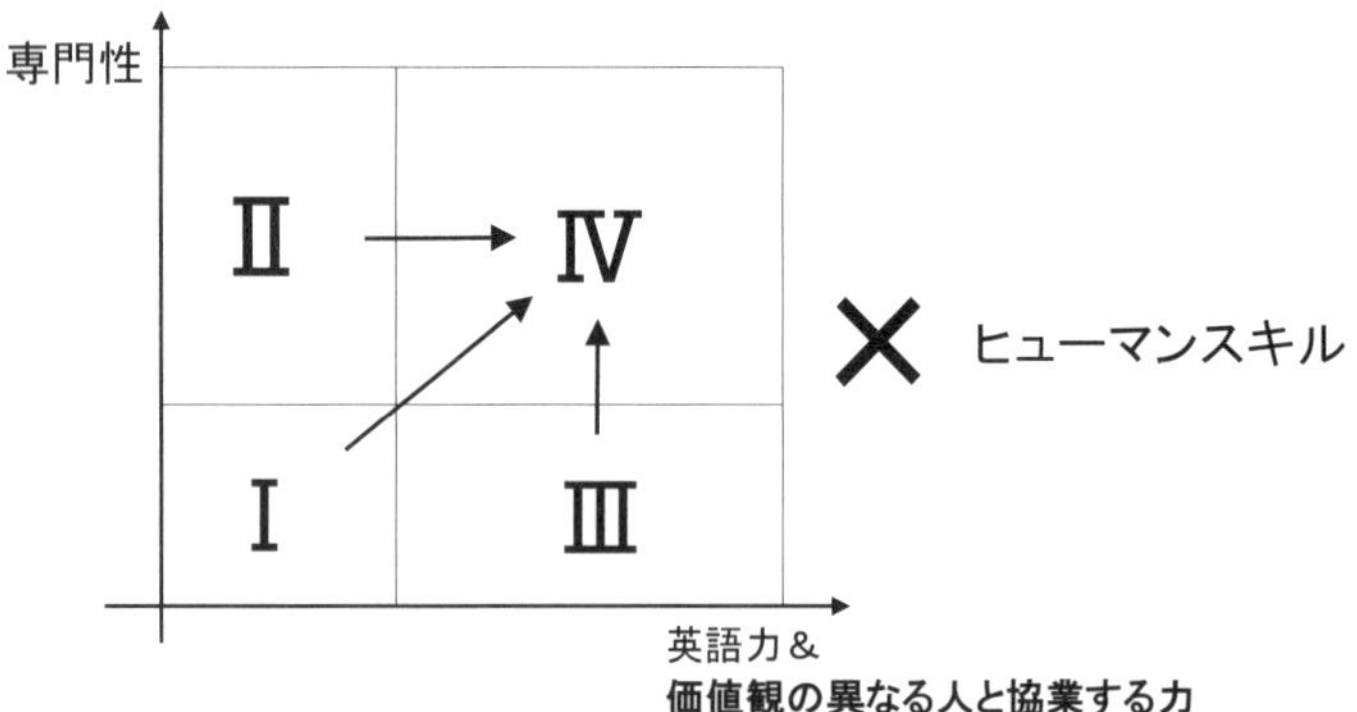

図7　海外就職で求められる要素

りも欧米圏の方が高い英語力を求められます。

日系企業で働く場合は、英語１００％の環境ではなく、日本人同士のコミュニケーションは日本語です。また、アジア圏であれば、日本語が流暢な現地人材が社内にいる場合も多いです。

しかし、社内公用語は英語です。現地企業とのコミュニケーションも英語が基本となります。国や職種によって求められる水準は異なりますが、自分の意志を伝えて、相手方と交渉できるレベルのビジネス英語が求められます。

英語に苦手意識のある人にとっては、アジア圏の日系企業が、英語を使う環境に慣れながら実力を伸ばしていくことができる最適なスタートです。

ところで、アジアの教育水準の伸びは

表２　国ごとに求められる英語力水準

国、地域	英語力
アメリカ、カナダ、オーストラリア	TOEIC900以上
欧州	TOEIC800以上
シンガポール	TOEIC800以上
中国 ＊中国語が必要な場合も	TOEIC650以上
香港 ＊中国語、広東語もアドバンテージに	TOEIC800以上
マレーシア	TOEIC750以上
タイ	TOEIC650以上
インドネシア	TOEIC500以上
ベトナム	TOEIC500以上
インド	TOEIC700以上
フィリピン	TOEIC700以上
カンボジア、ミャンマー、ラオス	TOEIC500以上

（ＧＪＪ提携先人材エージェント調べ）

すさまじいものがあります。富裕層はインターナショナルスクールに通って、欧米に留学するのが当たり前。ネイティブ同然の英語を話しします。

また、アジア圏にはアメリカやヨーロッパに本社を置くマルチナショナル企業の進出も増えています。当然、現地から派遣された英語ネイティブの人材もおり、そうした企業と仕事をする時はより高い英語力が求められます。

つまり、英語に自信があってさらに伸ばしたい人にとっても、十分な環境があります。例外として、中国では中国語が場合によって必要です。欧州でも現地の言語ができると就職に有利な場合もあります。

②価値観の異なる人と協業する力

海外で働くということは、現地の人を採用し、協力しあって成果を出していくということも必須となります。

国が異なれば、「言わなくても分かる」ということは基本的にありません。日本人が当然のように教えられている「報連相（報告・連絡・相談）」という仕事の方法1つとっても、一度伝えただけでお互い問題なく仕事ができるということはないでしょう。

時間や期限に対する感覚も、働くことに関する考え方もすべて異なります。日系企業だからといって、日本の働き方を押し通そうと、こうした異なる価値観やバックグラウンドを否定してはいけません。

自分とは異なる考えを尊重し、理解し、受容すること。そして自分の考えも、相手に伝えて相互に受け入れ合う関係性を作っていくことが土台になります。その上で、目標を達成するために、お互い協力して価値を生み出していくことが求められます。

③専門性

専門性とは、お金を稼ぐことのできる肩書です。「仕組みを構築する」「モノを売る」「人の成長をサポートする」など、人より得意にすることができることを、磨いていった先に専門性があります。１章でお話しした通り、興味の方向性に沿っているほど確固な専門性になります。

アジア就職と欧米就職の違いは、ここに大きく現れます。欧米圏で就職したい場合は、高い専門性が必要になる―つまり図７のⅣの人材である必要があります。しかし、アジア圏であればまだ専門性として確立されていなくても、これから伸びていく素質を持っているという可能性を考慮してもらえる――つまり図7のⅠ、Ⅲの人材であってもチャンスを掴みやすい土壌があるのです。

そして、履歴書には出てこないけれど、無視することのできない必須の要素がこのヒューマンスキルです。

④ヒューマンスキル

仕事を円滑に進める上で前提となる、人と人との関係性を築くためのソフトスキルの全般を指します。

例を挙げてみましょう。

以前、海外就職を希望した人がいました。

国内の金融機関で経理・財務を10年経験し、確かな専門性を持っていました。おまけにTOEIC900点以上と英語力も文句ありません。専門性と英語力を評価されて、香港の金融機関に就職が決まりました。

しかし、しばらくすると転職の悩みを相談してきました。いわく、同僚たちは休み時間になると広東語でお喋りを始めるため、のけ者にされているような疎外感を感じてしまうとのことです。特に、仕事でミスをした後は「悪口を言われているのではないか」と想像してしまうとのことでした。こうした疎外感を避けるために、英語圏に行くことを希望し、シンガポールの金融機関に転職しました。

けれど、ここでもしばらく働いた後、日本に帰国することに。「語学やスキルの問題ではなく、溶け込むことのできない自分の問題だと思う」と振り返っていました。

一方で、こんな人もいます。

20代前半で、専門性もなく、英語も得意ではないけれど、タイで就職した人がいました。好奇心が旺盛で、最初は同僚との英語での会話もおぼつかないほどでしたが、失敗を恐れず一生懸命会話に入っていきました。一生懸命な姿勢、そして何よりもその国の人を理解し、その国を好きになろうとする姿勢が時間とともに受け入れられていきました。最終的には、周りのサポートを受けながら仕事でも成果を出せるようになりました。

仕事ができるかどうかという問題以前に「この人と一緒に仕事をしたいな」「手伝ってあげたいな」と思わせるような、人としての魅力のようなものがヒューマンスキルなのでしょう。

それは人によって一生懸命さであったり、優しさであったり、寛容さであったり、積極性であったりさまざまです。

私の個人的な印象ですが、経営層のトップに立つ人たちと交流する度に、ヒューマンスキルが高いな、とつくづく感じます。成功している人ほど相手を尊敬し、謙虚な姿勢を持っているのです。いわゆる「人格者」ということでしょうか。

人がついてくるかどうかは、専門性や英語力ではなく、ヒューマンスキルによるところが大きいのでしょうね。


ここからは少し余談です。

海外で働くということについて、印象深い言葉を聞いたことがあります。

在米30年近い山内周司氏は、米カリフォルニア州立マーセッドカレッジ附属語学学校の経営者でもありながら、その他にも複数のビジネスを手掛けている方です。私も2020年3月に、立命館大学グローバル教養学部の設立に携わった今川新悟先生と共にマーセッドカレッジを訪ね、山内さんご協力のもと、日本人留学生に向けた「海外就職セミナー」を開催させていただいたこともあります。

山内さんは、アメリカでのビジネス経験を基にこう語っておられました。

「アメリカでビジネスを展開する際には、自分自身の哲学を持っていないと現地の人達から相手にされないと思います。これは経営者だけでなく、あらゆる人に当てはまることです。多様な民族、宗教、文化、歴史的背景が融合するアメリカでは、個人の考え方や内面が重視されるからだと思います。

要するに、自分の生き方や人生哲学を明確に伝えることで、現地の人達もそれを理解し、尊重してくれることが出発点となります。同時に、相手のバックグラウンドや価値観を尊重することで、信頼関係が築かれていくのです。こうしたアプローチから、多様性に基づく相互理解が生まれ、お互いに共感できるようになると考えています。

また、自分の意見を主張することは大切ですが、それが絶対的に正しいわけではないという姿勢も肝心です。ビジネスの舞台が高まるにつれて、自身の哲学と教養が求められるように感じます。私はアメリカかぶれにならない様に、日本人としての軸を大切にしています」

また、タイで働いていたＧＪＪの卒業生は、こんなことを言っていました。

「タイでマネージャーとして働き始めた当初、タイ人同僚と協力してプロジェクトを円滑に進めていこうと意気込んでいました。でも実際は、『なんでこんなにうまくいかないのだろう』ということの連続でした。依頼通りの成果物が出なかったり、そもそも期日までに間に合わなかったり。コミュニケーションをとるように心がけていましたが、正直『やる気がないのかな？』と思ってしまうこともありました。結果、焦って空回りをして、1人で仕事をすることに……。

今振り返ると、『この人は自分のことをリスペクト（尊重）する人なのか』ということをシビアに判断されていたのだと分かります。表面的に親しさを見せていたとしても、『何でもいいからとにかくこれをやって欲しい』という本音が見透かされていました。日本では上下関係があれば、いくら理不尽でもやれと言われたら黙ってやるのが当たり前ですよね。でも、基本的な人間関係に立ち返れば、その考えこそが間違いだったのかもしれないと気づかされました。

まずは相手へのリスペクト、つまり相手に真っすぐに対等に向き合った先に、信頼関係と協力関係が生まれる。それを実践できた時に、同僚は仲間になり、友人になり、いい仕事ができるようになりました。人間として、とても大切なことを教えてもらいました」

海外に出て壁にぶつかり、悩んで乗り越えたからこその言葉だと思います。

異文化理解やコミュニケーションスキルなど一言で表すことのできない奥深さを感じ

取れるのではないでしょうか。履歴書には現れないけれども、海外で働くことから得られるスキルとはこういうことなのでしょうね。

コラム⑤「日本人は安い店が好き」？ 高騰するアジアの物価

田村さつき

２０２３年９月、シンガポールとマレーシアに出張に行きました。

日本にいると円安ばかりに気をとられますが、海外に出ると高騰する物価とのダブルパンチで衝撃を受けます。トランジットで立ち寄ったタイのスワンナプーム国際空港で白ワインを１杯頼んだら、なんと約１，４００円（当時のレートで）。空港価格だとしても「かつてのタイはどこへ……」という感覚でした。

シンガポールでもその衝撃は続きます。あるテレビ番組で、現地の人への調査で木村拓哉さんや浜崎あゆみさんと並んで、シンガポールで有名な日本人7位に選ばれた竹田敬介さんが経営する飲食店巡りをしました。『シンガポールＫＥＩＳＵＫＥ』はラーメン、すき焼き、天ぷら、ハンバーグなどお店によってメニューを変えてシンガポールで16店舗を経営しています。

どのお店も、価格は大体1メニューあたり20ドル前後。今（２０２３年10月時点）はシンガポールドル約１０８円（コロナ前は75円！）なので、約２，０００円。それなのに、昼になると近辺で働く会社員たちで満席になり、外にまで列ができているのです。東京でも2，000円のランチに並ぶでしょうか？

こんなこともありました。現地でタクシーに乗ったら運転手から「日本人は安い店が好きだよね」と言われたのです。ショックでした。もしかしたら「東南アジアならではの屋台文化が好きだよね」ということだったかもしれませんが、今まで海外に何度も行ったなかでこんなことを言われたことがありません。「安い店しか行けない日本人」というニュアンスを感じ取りました。

同月に行ったハワイでは、ゴルフバックを持って、空港からホテルまでタクシーで移動を。私が日本人と分かると、運転手が「最近はゴルフバックを持って来るのは韓国人ばかりだよ」と驚いた様子で話しかけてきました。加えてこう聞かれました。「日本は貧乏になったの？」と……。

日本の海外でのイメージが確実に変わってきてしまっていることを痛感した出来事でした。

２０２３年９月、昼時に満席になるシンガポール KEISUKE＝シンガポール

2 アジアに可能性があふれるカラクリ

なぜアジアでは180度転換が可能なのか？

ＧＪＪに相談に来る人のなかには欧米で働きたい人、伸び盛りのアジアで働きたい人の大きく2通りに分かれます。

それでも9割の人が、アジア日系企業の現地採用でスタートするのは、アジアには挑戦できる可能性に満ちあふれているからです。そのカラクリをひも解いていきましょう。

まずは、興味の方向性にあわせて１８０度の方向転換が可能になるというカラクリについて。これには2つの要因があります。

１つには、需要と供給のバランスです。市場が伸びているアジアには、日系企業が多く進出しています。特に、インド、ベトナムはこれからもどんどん進出していくでしょう。

一方で、現地に住んでいる日本人、現地で働きたいという日本人は多くありません。

つまり、アジアでは、日本人人材の需要（ポスト）に比べて、供給（働きたい人）がまだ不足しているのです。

そして、現地人材のビジネス水準も理由の1つになります。

海外に進出した日系企業にとって必要な人材は、現地と日本の橋渡し役です。日本本社の意向も理解しながら、現地の人材をマネジメントして事業を推進していく。そんな役割が求められているのです。

アメリカやヨーロッパは、アジアよりも日系企業の進出の歴史が古く、教育・ビジネス水準も高いため、管理職まですべて現地の人材に任せても事業が回っていく仕組みができています。

しかし、アジアではそうではありません。社長はもちろん、橋渡し役となるようなマネージャーのポジションでも日本人を必要としています。そして、進出する企業もまだまだ増えていくということは、必要なポストもどんどん増えていきます。

大きくこの2つの理由から、アジアでは、働く人にとって有利な仕事選びができるチャンスが生まれます。

ポテンシャルを見込んだキャリア転換

働く人にとって有利な仕事選び。それは、具体的には、ポテンシャルを見込んだキャリアの転換です。

P100の図をもう一度見てください。

もちろん英語力は最低限必要として、その他の3つの要素のうち、アジア圏で重視される要素──それは、価値観の異なる人と協業する力とヒューマンスキルです。

すべて兼ね備えていることが望ましいのは言うまでもありませんが、すべてを持っている人材は少ないのが現状です。すると、「現地の人と関係を築いていきながら仕事をしていけるか?」という視点がいちばん重視されるのです。なぜなら、現地と日本の橋渡し役としての役割が期待されているからです。専門性は、仕事をしながら学んでいけばいいという考え方です。

つまり、経験よりも、やる気とポテンシャルです。最低限の英語力があれば、必要な専門知識やスキルは学びながら、成果を出していってくれるだろう。業界や業種での経験がなくても、こうしたポテンシャルを見込んだ採用が多いのです。挑戦したい人には大きく門戸が開かれています。

もちろん、そのポテンシャルはまったく根拠のない可能性では通用しません。その素質を説得力を持ってアピールできることが絶対条件です。

これが、働くことに悩む人にとっては大きなチャンスなのです。

興味の方向性に沿った仕事への転換ができること。これがアジア海外就職の最大の魅力です。

さよなら年功序列、エレベーターキャリアの実現

アジア海外就職では、もう1つ面白い現象が生まれます。名付けて「エレベーターキャリア」です。

日本では年功序列制度によって、入社10～15年目でようやく任される仕事を、アジア圏では20代の若手でも経験することができるのです。

日本と現地の橋渡し役としての役割が期待されるということは、「自分の仕事＋マネージャーとしての仕事」が求められるということです。

日本の会社ではマネージャー職につくのは、早くても30歳以降が相場です。けれど、現地では20代前半でもマネージャーとして事業を管理していく役割を任されます。

また現地では、日本本社よりも限られた人材で、日々変わりゆく環境に対応する必要もあります。すると、ひとりの社員がマルチタスクであらゆる仕事をこなしていく環境が生まれます。

たとえば、こんな事例がありました。

日本の四大会計事務所で、コンサルタントのアシスタント業務をしていたAさん（27）。大手総合商社のインド現地法人で人事総務、経営企画として採用されました。プロジェクトのサポートをするのが主な仕事内容です。

Aさんはコミュニケーションがとても上手な人でした。駐在員として赴任している営業の人たちと、仕事の話も雑談もしながら信頼関係を構築。積極的に貢献しようとする姿や実績が認められて、そのうち社長秘書も任されるまでになりました。

一般的に、大手総合商社で現地法人社長を任されるような人は、他国での駐在経験もあり、あらゆるヒューマンスキルが磨かれた一流の人材です。日本本社では役員レベルに相当します。

Ａさんは、さまざまなプロジェクトに携わりながら、日本では関わる機会がもてない現地法人社長の横で仕事を学ぶ機会にも恵まれました。

日本では、大企業であるほど人材が豊富に存在します。そのため、日本本社で同じポジションで採用されていたとしても縦割りの、細分化された仕事に留まっていたでしょう。このようにして、日本では経験することができない仕事を一気に経験することができる。これが「エレベーターキャリア」です。

この「エレベーター」には、別の意味合いもあります。それは、新卒では入社できなかった大企業に入社する、という意味でのエレベーターです。現地採用として入社して実力が認められたら、本社採用になる可能性も大いにあるのです。

公には語られていませんが、日本の新卒市場では、出身大学のレベルによって入社が難しい会社があるというのが現実です。それを現地採用であれば、「逆転」するチャンスがあります。

当時Ａさんには、同社の別の国の拠点へ推薦する話も出ていました。最終的に帰国することを決めたものの、「現地法人で認められたら、昔は想像できなかったような道も拓かれるんですね」と、Ａさんは振り返っています。

日本でなかなか派遣以外の仕事が見つからなかったけれど、アジアで初めて正社員のポストを掴むことができた人もいます。

就職氷河期や東日本大震災によって当時叶えられなかったキャリアに、アジアでもう一度挑戦することができた人もいます。

日本では市場が成熟しているため、「逆転」がなかなか難しい現実がありますが、まだ未成熟な部分が残っているアジアでは、努力次第でもう一度挑戦できる土壌がある。そんな隠された魅力があります。

アジア→欧米のステップアップコース

アジア就職の最後の魅力。それは、アジア圏以外―アメリカ、ヨーロッパ、オセアニアといった国々で働くチャンスが生まれるということです。

アジア圏と異なり、こうした国で働くためには、異なるバックグラウンドの人と働いた経験や、英語を使って働いた経験、そして、その職種での十分な職務経験といろいろな面で「経験」が必要とされます。

そうした経験がない場合は、まずはアジア現地採用として経験を積み、憧れの国へ挑戦するというステップを提案しています。

岩崎有起さん（35）の事例を紹介しましょう。夢を諦めず、わらしべ長者のように小さなチャンスをつかみ続けた結果、憧れのドイツ勤務を叶えました。

岩崎さんの略歴
日本（百貨店総合職）↓中国・上海（日系人材エージェント営業）↓アメリカ（現地食品商社営業）↓ドイツ（寿司屋）↓クロアチア（日系食品商社営業）↓ドイツ（現地食品商社営業）

岩崎さんには昔から「ドイツで働きたい」という明確な目標がありました。新卒で入社した百貨店に勤めていた２０１１年、ＧＪＪに相談に来られましたが、働き始めてまだ１年程で専門性もなく、英語は全くと言っていいほど話せませんでした。

そこで、まずは海外経験を積むためにアジア就職を目指すことに。当時は中国に案件が多く、中国語の語学力も不問でした。日系人材エージェントの営業職として採用され、上海へ渡航。サービス業などの第三次産業の日系企業の進出が多かった時期でもあり、百貨店勤務であったことも有利に働きました。

上海で勤務していたある時、アメリカの食品商社が営業職を募集していることを知りました。現地に永住している日本人が経営している会社で、主に日本、中国、韓国などから食材を仕入れている会社でした。

初めて日本を離れて海外生活をしてみて、日本食への人気と関心がとても高いことに気付いた岩崎さん。「専門知識も技術もない自分がヨーロッパへ行くには?」と考えた時に、日本食分野で専門性を積んでいくことは大きな強みになると狙いを定めました。アメリカで勤務すればヨーロッパにも近づくことができます。そう考え、アメリカの食品商社へ転職しました。

当時の経歴では就労ビザの取得は難しかったので、J1(研修)ビザで渡航。アメリカであちこちのスーパーに日本食材を営業してみて、日本食市場の大きな可能性に確信を持ちました。J1ビザが修了するタイミングで会社の規模拡大に伴い、アメリカの永住権を取得する選択肢も会社から提示されました。でも、やはり夢はドイツです。

直接ドイツに行くために、ワーキングホリデー制度を使用することに。すると、ドイツの寿司屋で働き始めて間もない頃に、前職の副社長からクロアチアにある食品商社にポストがあると連絡を受けました。日系企業の買収先でした。岩崎さんが、いずれヨーロッパで商社の仕事をしたいということを知っていた副社長が縁をつないでくれたのです。

紹介を受けた会社に採用され、クロアチアで勤務を開始します。

アメリカ、中東、ヨーロッパなど20ヵ国以上にマグロを売っている会社でした。岩崎さんもアメリカやヨーロッパ各国など世界中を営業で飛び回る日々。アメリカの営業では前職のつながりも大いに活きて、クロアチアを拠点に5年ほど経験を積みました。

そして２０２０年、念願の正式なドイツ勤務が叶ったのです。

クロアチアの会社の取引先であった日本食を扱うドイツの食品商社に直接応募をして、採用されたのです。

専門性も海外経験も語学力もなかった23歳の頃から約10年。中国、アメリカ、クロアチアを渡り歩き、ついにドイツに辿り着くことができました。

余談ですが、岩崎さんがアメリカの食品商社で働いていた頃、ロサンゼルスでお会いしたことがあります。車で空港まで迎えに来てくれ、現地の人と和やかにコミュニケーションを取りながら取引先のスーパーや日本食市場についていろいろ説明をしてくれました。日本でしか働いたことのなかった23歳の頃の面影は、すっかり消え去っていました。

「環境がここまで人を育てるのか」

その人のなかに秘めている可能性の計り知れなさに、ただただ感心したのを今でも覚えています。空港まで車で見送りをしてくれた岩崎さんと別れた後に、「この仕事をしていて良かった」と胸が熱くなりました。

実力が伴うまで待つのではなく、今目の前にあるチャンスを素直に掴み続けた結果、ずっと遠くまで行くこともできるのです。

キャリアの8割は偶然で決まる

岩崎さんの事例から何を感じたでしょうか？　本人の目標と努力があってのことであることは言うまでもありませんが、偶然の要素も多いと感じたのではないでしょうか？

「キャリアの８割は偶然で決まる」。私の大好きなキャリア理論です。スタンフォード大学のジョン・Ｄ・クランボルツ教授により提唱されました。

クランボルツ教授が仕事で成功をおさめた人を調査したところ、なんとその転機の８割が偶然の出来事によるものだったそうです。

これを計画性偶発性理論（Planned Happenstance Theory）と呼んでいます。

これは単なる運の話でしょうか？　私はそうではないと思うのです。

「こうありたい」という夢や目標があっても、自分では左右できない偶然の出来事が何かしら発生します。その時に、夢や目標に固執せずに、その偶然をチャンスと捉えて活かすことができるか。

「計画するのは大事だけれど、計画通りにいかないのがキャリア」

これまで2万人を超える人たちのキャリア支援を通じて、私自身もそうキャリアを捉えています。実は私自身のキャリアを振り返ってもそうなのです。思い通りにならない偶然の出来事を「面白いな」「やってみようかな」と思える人が、面白いキャリアを作っているという実感があります。

クランボルツ教授は、偶然をチャンスにできる人の特性として次の５つを挙げています。

・好奇心（Curiosity）　：　新しいことに興味を持ち続ける

・持続性（Persistence）：失敗してもあきらめずに努力する
・楽観性（Optimism）：何事もポジティブに考える
・柔軟性（Flexibility）：こだわりすぎずに柔軟な姿勢をとる
・冒険心（Risk Taking）：結果が分からなくても挑戦する

新しいことに興味を持ち続け、夢と目標に向かって行動する。そこでうまくいかないことがあっても諦めずに努力をする。予想外の出来事が起こっても、前向きにチャンスと考えてみる。そして、当初の夢や目標にこだわりすぎず、目の前にある機会に挑戦をしてみる。こうした姿勢こそが可能性を広げるのでしょう。

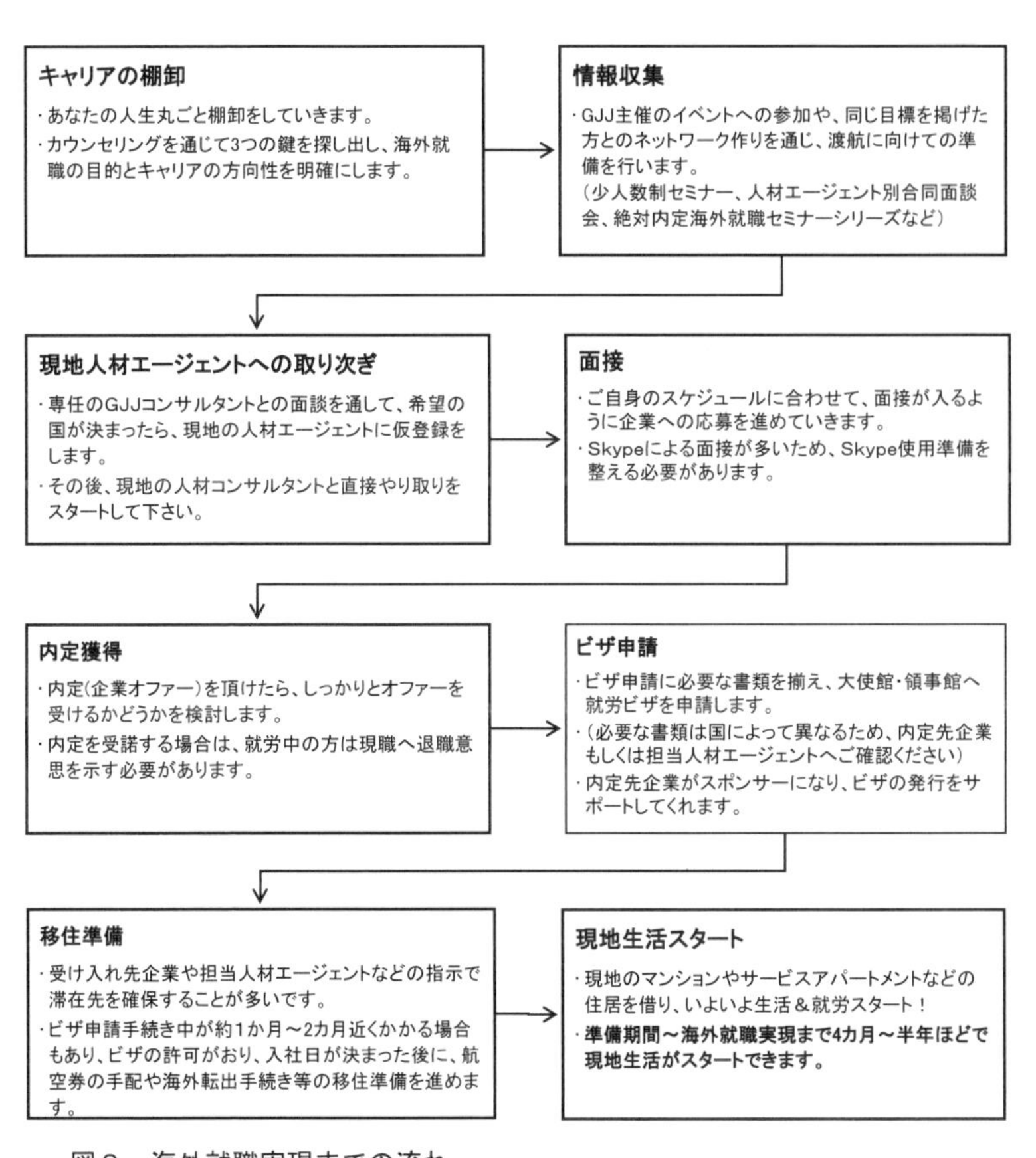

図８　海外就職実現までの流れ

コラム⑥　学歴、職歴、語学力無しでも海外就職できちゃった

ＧＪＪ　ＣＥＯ兼キャリアコンサルタント　田村貴志

「学歴も経験も、おまけに語学力も全くない僕だけど海外就職ってできるんですか？」

２０２０年２月、彼はそう言ってＧＪＪを訪れました。

名前はＳさん（22）。「海外で働きたい！」と思い、インターネットで海外就職について調べていたところＧＪＪを見つけ、地方からはるばる訪ねに来てくれました。

彼の話を聞いてみるとこんな経歴でした。

高校卒業後、なんとなく地元の地方大学へ入学したものの、将来何をしたいか分からず毎日を過ごしていた。そんな時たまたま、大学でアメリカへの２週間の短期研修プログラムがあることを知り、即パスポートを取得し人生初の海外を経験。ホストファミリーとは会話ができず、身振り手振りで過ごすもどかしい２週間だったが、ものすごく刺激を受けて帰ってきた。

日常にもどった瞬間、「日本ではなく海外に移住したい！」と後先考えず大学を中退。とりあえず移住に必要なお金は貯めようと、平日は派遣で太陽光パネルの訪問販売の仕事、週末には飲食店のアルバイトという生活を半年間続け、数十万円は貯めたという。

「大学中退で最終学歴は高卒。職歴は半年間の派遣とアルバイト。英語は相手の話は何となく分かるけど、自分からはジェスチャーで伝えるレベル。僕でも海外で働くことってできるんですか？」

とても回答に困った質問でしたが、私は「あなただったらできると思う」と伝えました。根拠はなかったけれど、彼の行動力と意思の強さがあれば海外で戦えるのではないかと感じるとともに、彼を心から応援したいと思ったのです。

そこで「どの国でどんな仕事したいですか？」と聞いたところ、「国はどこでもよく、僕を採用してくれる会社に行きます！」と。

私はその瞬間「Sさんは決まる」と確信しました。

そこで、当時彼の学歴や職歴、語学力でも応募ができる国（カンボジアやインドネシア）を提案したところ、彼は「分かりました。カンボジアに行ってみたいので、カンボジアの企業を紹介してください」と即答しました。

そこから、キャリアの棚卸を通じて書類作成や面接対策を実施。現地人材エージェントの協力のもと、いくつかの会社に応募をしたところ、日系ＩＴ企業とのオンラインでの一次面接が決まりました。

しかしSさんは「オンラインではなく現地に行って面接したいです」と希望し、すぐさま現地へ飛び立っていきました。

以前は、現地に面接を受けに行くことも良くありましたが、それでも一次面接で現地に渡ることはほぼありません。しかしSさんは、会社や現地の雰囲気を感じたいと思ったようです。

会社側も現地まで来てくれるからにはと、人事担当者ではなくいきなり社長との面接に。結果、一次面接で採用となり日本に凱旋帰国。その1カ月後にカンボジアへ渡航しました。

一連のサポートを経て私が感じたこと。

・圧倒的な行動力
・「海外で働きたいんだ」という強い意志

・こだわりが少ない柔軟な姿勢

これが学歴、職歴、語学力がなくても海外就職できる極意だということです。

これまで海外就職支援をしてきたなかで、Sさんのようなケースは少ないですが、この3つがあれば、海外就職はできると今でも信じています。

ちなみに、後にSさんにカンボジアを選択した理由を聞いたところ、「なんとなく直感でそう思った」とのこと……。

3　海外で見つける「本当の自分」

海外就職をした人は輝いて見える

「海外就職を経た人たちが、輝いて見えるのはなぜだろう」

この仕事を始めてから数年経った頃、ふと疑問が浮かびました。

海外就職をすればすべてうまくいくなんてことはありません。むしろ、想定外のことが待ち受けていることの方が多いでしょう。現地の言葉で食べたいものさえうまく注文できなかったり、大雨と大渋滞に巻き込まれて帰宅するだけでもへとへとになったりすることもあります。

いざ渡航してみたら全く事業が立ち上がっていなかったり、人間関係に悩んだり、英語で仕事をするプレッシャーに押しつぶされそうになったりすることもあります。

それでも、なぜか生き生きして見えるのです。

この章では、この疑問について考えてみたいと思います。

自信と選択肢を手に入れる

「今、自分にいちばん自信があります。それが嬉しいんです」

とあるGJJ卒業生が晴れやかな顔で話してくれました。日本で5年働いたあと、マレーシアで職種を変えて現地採用として3年働き、日本に帰国した人です。

その理由を聞くと「自分の得意なことがはっきりと分かったから」と教えてくれました。職種も国も変えて、新しいことをなんでもがむしゃらにやってみた結果、自分が心から好きで、夢中になれることをはっきりと知ることができたといいます。

「もちろんこの分野で、私よりはるか先を行くスキルと経験を持っている人は山ほどいます。でも、比較して自信をなくすのではなく、それに向かって努力していけばいいんだと思えるんです」

進むべき道が決まれば、そこに迷いはなくなります。迷いがなくなれば、その分を前向きなエネルギーに転換していけるのです。

「自分は人より得意なことなんてない平凡な人間だ」と思いながら会社の一員として働いていても、自信は生まれません。

ゼロ地点に立ち戻って、確かに自分のなかにある好きなことや、興味のあることへの素直な欲求に向き合い、あなたをいちばん力強く、前向きに突き動かす衝動のエネルギーをスキルとして生み出していく。

その働く経験のなかでは、「できて当たり前だと思っていたけど、他の人よりこれが得意にできるんだ」「いちばん力を発揮できることってこういうことだったんだ」という気づきを得ることができます。苦手なことに気づくことも、同様にとても大切です。

「自分にも得意なことがある」

それを経験を通じて確かに知るということこそが、自信なのです。経験を積んだ5年、10年後には、確かな専門性も生まれているはずです。それは単に、職種としての専門性にとどまらず、海外で働いた経験や英語力とかけ合わさってあなただけの価値を高めてくれるでしょう。

すると、選択肢が増えていきます。

「今の会社で頑張るしかない」と目の前に1つの道しかないと思うと、不安になるものです。理不尽な環境にも、苦手な仕事にも「耐える」という選択肢しかないからです。

けれど、目の前に選択肢がいくつもあったら。日本だけでなく、海外という選択肢も広がっているのであれば。自分がその時いちばん望む道を選ぶことができます。

「次の勤務地は、東京か香港かバンコクか」

こんなフラットな考え方もできるようになるのです。自分の得意なことを生かして、人生を選んでいく。そうした手ごたえを手に入れられるはずです。

心のなかに多様性という武器を

いつもと少し違う場所や環境に行くと、人々の行動や考えに対して驚くことがありますよね。特に海外に行くと、コンビニやレストランでの働き方や喜びや怒りの感情の表し方、家族との時間の過ごし方などその驚きはよりいろいろな場面で現れてくるかもしれません。

もしかしたら、自分よりも「自由だ」と感じることが多いのではないでしょうか。そして、心のなかに「いいな」と思う、少しの憧れが生まれる時もあるかもしれません。その気持ちは、日々暮らし働いているうちに、知らず知らずのうちに捉われてしまった「世間の常識」の存在に気付かせてくれます。

日本で働いていて、こんな経験はありませんか？

自分の仕事が終わっているのに、上司が残業していると帰りにくい雰囲気がある。少しでも早く家に帰ってゆっくりテレビを見たいのに、結局夜9時まで残ってしまった。

家族が風邪をひいてしまい、今日は休んで家事や看病をしたい。午後に入っている会議は、同僚に代理で出席してもらうことができる。でも、社内では有給を使う人がほとんどいない。自分だけ休むのも申し訳なく、結局いつも通り出社してしまった。

みなさんが同じ立場だったらどうしますか？

「働くってそういうものでしょう」と特に何も思いませんか？

それとも、嫌だなと思いつつも「しょうがないよね」と諦めてしまいますか？

日本で暮らし、働いていると、多くの人はそう考えるかもしれません。

けれど、海外に目を向けてみるとどうでしょうか。

とある国では、定時できっちりと帰るのが当たり前になります。むしろ、残業をしていると「仕事のできない人」という評価を受けることもあります。

とある国では、家族と過ごす時間を大切にする意識が社会全体にあります。労働者である以前に、ひとりの人間としての生活が優先されているのです。

これは、働くことに限りません。

スウェーデンで子育てをしながら働くGJJ卒業生の小林智一さんは、スウェーデンでは育児休暇が「1家族に480日」付与される制度があると教えてくれました。つまり、母親と父親が交代して取得することを前提とした制度設計になっているのです。

「女性は出産によって体に負担がかかるので、最初の半年~8カ月は女性が育休をとって、残りの期間を男性がとるというのが一般的です。男性も女性も平等に育児をし、キャリアを作っていく考えが反映されています」と話してくれました。

性のあり方も国によって大きく違います。

日本では、法律で認められているのは異性婚、そして男性か女性かという2つの選択肢のみ。こうした環境に生きづらさを感じて、海外就職を決めた人もいます。

性のあり方や異性婚という制度に悩む人は、多様な性が認められている環境にいくことで自分のことをもっと素直に認められるようになるかもしれません。

自分を縛る価値観を手放して、楽にしてくれる価値観を知っていくことは、あなたを自由にしてくれます。

新しい価値観を柔軟に取り入れていくことで、「どんな環境で、どんな人に囲まれて、どんな風に日々を過ごして行きたいのか」という問いに対する自分なりの答えが見つかっていくことでしょう。たとえ今の環境があわなくても、変えることができなくても、「違う世界がある」と知っていることは、しなやかで強い武器になります。

「本当の自分」を知る旅

2023年度の東京大学学部入学式の祝辞で、馬渕俊介氏がとても素敵なメッセージを送っていました。

馬淵氏は、国際協力機構（JICA）、コンサルティング会社「マッキンゼー・アンド・カンパニー」、世界銀行、それからビル&メリンダ・ゲイツ財団で働いてこられました。今は、三大感染症といわれるエイズ・結核・マラリアの対策に取り組む国際機関「グローバルファンド」の保健システム・パンデミック対策部長を務めておられます。

馬淵氏は、自由な大学生活を始める後輩たちに、ご自身の経験を通じて人生でとても大事だと実感していることを「夢」と「経験」という2つの側面からお話ししていました。

「夢」については、こんな風にお話しされていました。

「夢」についてみなさんにお伝えしたいことは2つです。

1つは、夢に関わる、心震える仕事をして欲しいということ。修行のために敢えて途上国の支援とは関係のない仕事をしたときに実感したのですが、自分の夢に関わる本当に好きなことをやらないと、それを徹底的に突き詰めることはできません。また、好きなことをやってないと、幸せの尺度が「自分が他人にどう評価されているか」になってしまう。それではうまくいかないときに持たないです。他人の評価を気にする他人の人生ではなく、自分がやりたいことに突き進む自分の人生を生きてください。

もう1つお伝えしたいのは、夢は、探し続けて行動し続ける人にしか見つけることはできないということです。夢が見つけられないというのは、ほとんどすべての人が抱え続ける悩みですが、夢は、待っていれば突然降ってくるものではありません。探し続けて、行動してみて、そのなかで少しずつ「彫刻」のように形作っていくものだと思います。周りに流されず、自分の興味のままに、探し続けてください。


そして「経験」についてはこう語っていました。

1つの分野で世界のナンバーワンになることは、とても難しい。ですが、いくつかの重要な分野の経験やスキルを、自分だけにユニークな組合せとして持っていて、それらを掛け算して問題解決に使えるのは自分だけという「オンリーワン」には、なることができます。

そこでとても大切なことは、「環境が人を作る」ということです。人間は弱くも強くもあり、自分のいる環境をたった1人で突き抜けて大きく成長していくことはとても難しいですが、逆に凄い人たちのなかで、あるいは修羅場に身を置いて、難しい挑戦を続けていると、それが普通にできるようになって、その次のさらに大きな機会に手が届くようになります。環境は、「わらしべ長者」のように力をつけて、「経験を組合わせ」ながら得ていくものです。私の場合はそうやって徐々にできることを増やしていって、今に至っています。

これはまさに、海外就職にも当てはまることです。みなさんは「何が好きなのだろうか」「何ができるのだろうか」と、進むべき道に悩んでいます。でも、やってみたことがないことに対して、最初から明確な自信を持って進むことは難しいでしょう。

そんな時に道しるべとなるのが、心が震えることです。「面白い」「やってみたい」。そんな心が動かされることをやってみるなかで見えてくることが必ずあります。進むべき道は、心が震えることに従って経験を重ね、失敗と修正を繰り返すなかでようやく分かることなのです。

心が震えることに素直になって経験を積み重ねていくことができれば、その先には思いもよらなかった景色が広がっているはずです。それは、仕事だけに限りません。学ぶこと、余暇の楽しみ方、家族との過ごし方—そんな人生にまつわるさまざまな自分なりの価値観もできあがっていくことでしょう。

つまり、本当の自分を知る旅なのです。もしかしたらそんな過程こそが、海外就職を特別なものにしているのかもしれません。

本当の自分を知ったら、進むべき道にもう迷わない。

どうですか？　海外就職って面白そうじゃないですか？

コラム⑦ 海外で活躍するスポーツ選手。ビジネスでは？

田村さつき

2022年5月〜6月にかけてタイ、アメリカ、フランス、ベルギー、スペインをめぐりました。旅の1つのテーマが「世界で通用する日本人」を見ること。アメリカでは野球の大谷翔平選手、ゴルフの松山英樹選手、スペインではサッカーの久保健英選手の活躍を目にしました。

野球の試合では、大谷選手のユニフォームを着て一生懸命応援する子どもたちを目にし、「日本人がこんなに活躍できるんだ！」という感動とともに、彼らがその国で愛されていることに感銘を受けました。スペイン・バスク地方でも日本人と分かるや否や「Take Take!」（久保選手のこと）と声をかけてくれる人の多いこと。

2021年に、松山選手が日本人男子として初の優勝を飾った時、キャディーの早藤さんが、最終18番のピンを返した後にコースに一礼した姿勢も、世界中から称賛を浴びました。今回、彼らの活躍と地元の応援を直に見て、努力、人柄、功績はもちろんのこと、日本人としての礼儀正しさや真面目さというバックグラウンドも含めて愛してもらっているのだと感じました。

そこで疑問が浮かびました。

スポーツ界では世界で活躍する選手がいるのに、なぜビジネス界では苦戦するのか？　もちろんＴＯＹＯＴＡやＵＮＩＱＬＯなど世界ブランドは存在します。でも、シリコンバレー発の日本のユニコーン企業はあまり耳にしないようです。

仮説ですが、日本には個の力で勝負する環境が整っていないのではないでしょうか。ビジネスの世界でも、強いリーダーが出てきた時に変わってくるのではないでしょうか。

そこで大切なのは欧米的なリーダー像になりきるのではなく、日本人としてのアイデンティティーを核に持つことでしょう。今後は、個の力とアイデンティティーが鍵になってくる。そんな気がします。

２０２３年５月、久保健英選手が所属するレアル・ソシエダのグッズ売り場＝スペイン

第4章　海外就職のその先に

もやもやからの解放

情報が盛りだくさんでしたが、ここまで読んでいただきありがとうございます。「働く」ことにまつわるいろいろな固定観念から解放され、自分の可能性について希望を持ってもらえたら嬉しいです。

今世界中で活躍しているＧＪＪの卒業生たちも、かつては日本でみなさんと同じようなもやもやを抱えていました。そんな状況を変えるために海外に出ていった人たちはこれまでに１，１００人を超えます。ひとりひとりがさまざまな課題にぶつかりながらも、何かを得ていく過程がそこにはあります。

この章では、４人の方の挑戦の道のりを紹介します。

１　「この先が不安」からの解放

この本を手にするみなさんのもやもやの共通項を探すと、「この先が不安」という漠然とした不安に行きつくようです。

「専門性がない」「今の会社で一生働き続けるんだろうか」「英語ってやっぱりできないとダメだよね」。もやもやの正体を探っていくとこんなことが原因になっているかもしれません。どうしたらそんなもやもやを解消できるのでしょうか？

【実例】大川春樹さん（23歳・仮名）
入社半年で「この会社にいても先がない」

「スキルが欲しいです」

２０１２年夏、ＧＪＪを訪ねて来た時、大川春樹さん（仮名）は明確な目標を持っていた。新卒での入社から半年、23歳だった。

東京の大学を卒業後、地元の地方銀行に就職。しかし、半年も経たない内に「この会社にいても先がないと気づいてしまいました」。

入社当初は、法人営業を担当して財務諸表を読み込めるようになりたいと考えていた。しかし、実際は個人営業担当で金融商品を売り歩く日々。ローラー作戦で顧客開拓に励んでいたが、ふと隣を見ると40代の上司も同じ仕事をしている。ここにいて成長できるのだろうか、と不安になった。

そもそも地方銀行を取り巻く業界自体が市場の伸びしろがなく、保守的な体質だった。更には、会社の飲み会への参加はもちろん、地域のボランティアや祭りの準備、手伝いに週末も駆り出される「ムラ社会」的な環境。

「思い切りがいい方」とよく言われるというが、自分が成長できる環境ではないと早々に見切りを付けて、転職を考え始めた。

「差別化を図るため」海外就職を決意

周囲を見ていると地方銀行からは、地元の市役所か証券会社、保険会社が典型的な転職先候補だった。

「でも、スキルアップができて差別化が図れるような転職がしたかったんです」

そこで偶然知ったのが海外就職という選択肢だった。これまで留学経験もなく、大学入学当時に受けたＴＯＥＩＣは５００点ほど。英語が得意なわけでもなかった。

それでも、偶然目にしたＧＪＪ卒業生のブログで、海外で英語を使って仕事をする姿を知り、成長できる環境に心惹かれた。ポジションによっては車の送迎がつくという日本では考えられないような待遇も驚きだった。

「キャリアの差別化のために海外に行こう」

ここでも思い切りよく決断する性格が功を奏した。そうと決まれば、すぐにＧＪＪを訪問し、キャリアの棚卸を実施。職務経験が半年しかなく、職務経歴書に書けることが見つからないのが悩みだった。しかし、みっちりとカウンセリングをした結果、「『こういうスキルがあるよね』と自分で気付かなかった視点で可能性を引き出してもらえました」。

それから1年弱。準備期間として銀行に勤めながら、オンライン英会話で会話の練習を続けた。当初はタイで働くことを視野に入れていた。旅行で訪れたことがあり、食事もおいしく交通も便利だったからだ。

しかし、コンサルタントからの助言は、「タイは求職者も多い。もっと有利に仕事を探せる国を狙った方がいいかもしれない」という意見だった。職務経験が短いことを考慮してのことだった。日本人人材へのニーズが高く、そしてこれからまだまだ経済も伸びていく国。ベトナムとインドネシアを狙うことにした。

2か国とも行ったことのない国だった。13年夏、銀行を退職すると、ベトナム、インドネシアへ渡航した。実際に住むことができる国なのかを確かめること、そしてその場で面接を受けるのが目的だった。

「海外でやっていけるんだろうか」「試用期間でクビになるのでは」

そんな不安もないわけではなかった。でもそれ以上に、「わくわくしました」。初めて訪れたベトナムとインドネシアは、活気に満ちあふれていた。途上国の様子も残しながらも立派なビルが立ち並び、まさに今、若い人が中心となって経済が発展しているエネルギーを肌で感じたという。

滞在中に面接を重ね、インフラ系のエンジニアリング会社のベトナム現地法人に内定を得た。帰国してすぐにビザを取得すると、1か月後には、荷物をまとめベトナムへ旅立った。「ここで働けるんだ」という希望に胸を膨らませて。

海外勤務のスタート

ベトナム現地法人は、法人化して間もない立ち上げ時期だった。日本人駐在員が５人、ベトナム人が25人の計30人ほどの職場。現地採用は大川さん1人だった。

ビジネス英語、インフラ関連の高度な専門知識、ベトナム人とのコミュニケーション、ベトナムの商習慣、契約書にまつわる法務知識……。挙げればきりがないほど、すべてが初めての環境だった。

働き方もそうだった。依頼した仕事が期日までにできていないのに、帰宅してしまう同僚に戸惑うことも多々あった。しかし、日本の考え方にこだわらずに依頼の仕方や仕事の進め方を工夫をしながら、次第に働き方の背景にあるベトナム人の考え方も理解するようになっていった。

「少しずつ理解していくと、むしろ家庭と体を壊すまで働くよりも家族と健康を大事にして働くのが本来の姿かもしれないという気付きもありました」

「しんどい」よりも成長できている喜び

「ベトナムでの経験で何を得ましたか?」と質問すると、しばらく考えて大川さんはこう答えた。

「まず間違いなく英語力ですよね。そして、インフラ分野への専門的な知識・経験、契約書周りの法務知識。交渉力も海外ではなくてはやっていけません」

「日本でこの業界に携わっていたとしても、成熟した市場では小さいパイの奪い合いです。取りこぼしが許されないため、常に上司が手取り足取り。更に組織も大きいので、仕事も細分化されています。

ベトナムでは組織が小さい一方で、市場がどんどん伸びて競争も激しい。だから、20代でも案件の責任者として裁量を持って色んな仕事を経験できたのは貴重でした」

実際に、大川さんが働き始めた当時は、日系企業の技術力と実績が買われて受注できていた案件も、次第にローカル企業の台頭やシンガポール、韓国企業の進出によって、どんどん競争が熾烈になっていった。次から次へと、案件が尽きることがなかったという。

「大変だったんじゃないですか?」と重ねて尋ねてみた。

「実は、『しんどいな』と思ったことはあまりないんです。それよりものすごくスキルを得ているなという実感があったので。大変だけど刺激的でした」

大川さんにとっては、成長しスキルを身につけられる環境こそが求めていた環境だった。がむしゃらに経験を重ね、5年後には日本本社採用に切り替わり、本社の海外事業部勤務に。ベトナムで現場の最前線で働いていた環境から一転、本社から海外事業をサポートしたり、省庁と案件を交渉するなどより大きな視点での仕事に携わるようになった。

選択できるという自由

そんな環境で5年働いた2023年、転職を決意した。会社の方針変更により、海外事業より国内事業に重点を置くようになったからだ。

会社に残り、人事異動に従って配属された部署で働くという選択肢もあった。でも大川さんは転職を選んだ。

自分の価値が高まり、活躍できる場所はどこか？　インフラの高度な専門知識、海外事業に10年携わった経験、英語力。そのスキルを活かすことのできる環境が、今の会社になくなってしまった。それなら、活かせる環境に移る。

「自分に合う環境、求める環境を自分で選ぶことができる。そうした選択肢を持てるようになったのは大きな意味があると思います」

環境問題が世界的な課題となっている今、大川さんが携わる分野は一生をかけて取り組む価値があると感じている。数年後にはまた駐在員として海外に赴任する予定だ。目の前でプロジェクトが完成する充実感と躍動感を感じながら、また次の挑戦に挑む。

２０１６年、ベトナム・ホーチミンのオフィスから。
近年ではこの一帯も高層ビルの開発が進む。

☆担当コンサルタント・田村貴志のコメント

「成長しようと志高く入社したものの、実態は異なり目標を見失ってしまった」「この会社にいてもスキルや専門性が身につく気がしない」「周りが転職していくけど自分はこのままでいいのだろうか」。こんなお悩みを持ち、ＧＪＪへお問合せされる方は多いです。大川さんもまさにこうした方で、いち早く成長し自身の価値を高めたいと考えていましたが、それが叶わない現実に入社半年足らずで直面してしまいました。

キャリアの棚卸を通じて、大川さんはとにかく成長する環境を求めていることが分かりました。未経験でも裁量権を持って仕事ができ、思う存分挑戦することのできる国と案件を提案したところ、迷うことなく決断されました。そこから語学力を磨き、結果として社会人経験が１年程にも関わらず、業界経験未経験で優良企業への切符を掴み取りました。

今は昔と違って新しいキャリアの選択肢が豊富にあります。狭い視野にとらわれず海外就職という選択肢も視野に入れることで、自分が望むものを手に入れることのできる環境を見つけられやすくなるはずです。なぜこの先が不安なのか？　そのもやもやの正体をつきとめ、得たいものを得られる環境を探してみることから始めてみませんか。

2 「満たされない日常」からの解放

ＧＪＪの無料カウンセリングを希望する方を対象に「海外就職を希望する理由は?」という選択式のアンケートを取っています。「キャリアを積みたい」に続いて、２位に挙がるのが「いきいきと充実した人生を送りたい」という回答です。

「なんだか満たされないけど、それがなぜだか分からない」「もう少しプライベートを充実させたいけど、仕事を減らすこともできない」「仕事の付き合いを断りたいけど、断りにくい」。そんな相反する気持ちをみなさん抱えているようです。

【実例】木内達哉さん(37歳)

自分らしくいられるようになった国、インド

「インドに行ってから自分らしくいられるようになりました」

そう笑って話すのは木内達哉さんだ。東京の大学を卒業後、東京の会社で管理部門の仕事をしていた。通勤ラッシュの時間帯に片道1時間近くかけて通勤し、繁忙期は深夜近くまで残業が当たり前。早く仕事を終えても上司が帰るまでは帰りにくかったり、職場の飲み会には参加しなければいけなかったりするような同調圧力も感じていた。

「これが当たり前なんだ」。そう思って過ごしながらも、少しずつ心が疲弊していくのを感じていたという。

その時、出張でミャンマーを訪れたのが転機となった。現地採用で働く日本人に初めて出会ったのだ。「こうやって海外で働く道があったのかと驚きました」

思えば、大学生時代は海外旅行が好きで、好奇心のままにあちこちを旅していた。最初に訪れた中国で、満ちあふれる活気と発展の様子に衝撃を受けたのを皮切りに、インド、東南アジア諸国、アメリカ、イギリス、フランス……。歴史好きなのもあり、旅を通じて世界を広げていった自分を思い出した。

スキルアップのチャンスを探して

海外就職を考え始めた2014年、GJJを訪問した。

どんな経験があれば海外就職ができるのか。そんな相談をすると、管理部門では、経理への需要がいちばん高いことが分かった。そこで、経理の経験を積むために国内の会社に転職。駐在ポジションを約束されての採用だったが、しばらくすると海外事業の業績悪化のため、いつ実現するか分からないという状況になってしまった。

そこで、2つの選択肢が生まれた。今の会社に留まって経理のスキルを積むか。もしくは、今の実力で行ける国を選んで、海外でスキルを磨くか。

木内さんが選んだのは後者だった。「海外に行きたい気持ちが上回ったんです」

興味のあった中国、インド、東南アジア各国での案件を検討すると、国ごとに興味深い違いがあることに気付いた。

すでに国の経済水準が高い香港、シンガポールでは、経理として高度な専門性を求められる案件が多かった。タイ、マレーシアでは、日系企業が進出してから一定の時間が経っているため、日々のオペレーションを回すような仕事が多く、スキルアップはあまり見込めそうになかった。

一方で、経験が浅くても大きくスキルアップできそうなのが、ベトナム、インドネシア、インドだった。日本人人材が不足しているためだ。なかでも、語学水準が高く、木内さんにとっていちばん成長する環境が期待できるインドに決めた。

「インドでは特に、日本人が不足しています。だから、日本では管理職でないとできないような仕事を、30歳の自分でもすることができるのが魅力でした」

異文化の洗礼

「インドの１年は日本の５年に値する」

こんな言葉もインドには存在する。ヒンドゥー教とイスラム教が多数を占めるため、食事や飲酒に制限があることや、日本食が手に入りにくい生活環境もその理由の１つだ。実際に、環境が合わずに帰国する人もいるため、採用の面接では「長くインドで働けるか」というのが大きなポイントとなることもある。

木内さんにインドの印象を聞くと、「言い表せないほどいっぱいあって……」と苦笑しながら次々と面白いエピソードを教えてくれた。

「たとえば、エアコンが壊れたので修理を午前10時に依頼しますよね。でもなぜかその日に来ないどころか、3日後に来たりするんです」

こんなこともあったという。

「午前11時からのクライアントとの会議のため、社内のインド人と一緒に訪問先に向かう途中、大渋滞にはまり大幅に遅れてしまいそうになったんです。すでに10時なのに、まだ1時間半以上はかかりそうなくらい……。

当時はインドに来たばかり。焦っていたら、同行していたインド人がなんと『あの店のモーニングは11時までやってるから、まだ朝ご飯間に合うよ』と言い出したんです」

訪問先が日本人の場合にはさすがに許されないが、その日はインド人との会議予定。驚きつつも「そんなものなのかな」と飲み込み、念のためクライアントに遅刻する旨を電話した。すると「要件はそれだけですか?」と言われ、さらに驚いたという。

「結局、朝ご飯を食べて、12時半くらいに到着したのですが、今度はクライアントが外出していて戻ってくる様子がありません。13時から私たちも昼食を食べ始め、結局、元々14時からの約束だったかのように、打ち合わせが始まりました」

「『こんなに大遅刻して怒ってるのかな?』と内心ビクビクしていましたが、「問題はそれを『問題だ』と思うから問題になる」というのを実感した瞬間でした。問題は私の頭のなかだけで発生していて、現実には何も問題が発生していなかったんです」

こんな異文化の洗礼を受けて生活していると、日本に一時帰国した際に逆カルチャーショックを受けたこともあったと言う。

「日本で小籠包を頼んだ時に、『お時間かかりますけどよろしいですか?』と聞かれ、『1時間以内に出てくればいいですよ』と言ったんです。そしたら『いえ、10分ほどでお出しできます』と言われ、それはもうその場で出てくるのと同じだな、と」

こんなエピソードが次から次へと尽きない。それを笑って話せるのは、木内さんのなかに異文化を受容し、理解するという姿勢が養われていったからなのでしょう。

日本では評価されないことが評価される

仕事面ではどうだったか。

木内さんが働き始めた国際会計事務所は、現地で日本人が設立した会社だった。当時は日本人3人、インド人15人ほどの規模。クライアントは主に日系企業で、インドに進出する際の登記の手続きを始め、財務諸表の作成、税金申告などを行う。実務はインド人従業員が行うが、それを管理し、顧客の窓口となって説明し、本社への報告を行うのが木内さんの仕事だった。

「本社役員への報告などは、日本であれば管理職がやる仕事です。前の会社にいたら10年経っても任されなかったかもしれません」

仕事のスタイルも自分にあっていると感じたという。日本では、複雑な会計の処理を正確に行うことが求められる。しかしインドにおいては、実務はインド人が担当し、木内さんにはインド人とうまくコミュニケーションをとりながら、仕事を進めていくというマネジメント的な要素が求められていた。

「細かい会計処理よりその方が得意なんです。日本では評価されないことが、海外では評価される。キャリアの可能性や自分の価値が広がったなと感じました」

職場の雰囲気も合っていた。仕事さえきちんとしていれば、必ずしも出社をしなくてもいい環境だった。趣味の旅行をしながら仕事をすることもできたという。

「時にはガンジス川のほとりに腰かけて、遺体が焼かれている臭いが漂うなかで仕事することがありました」

混沌とした環境で、建前や周囲の目を気にすることなく、本当に必要なことだけが求められる。そうしたなかで、凝り固まった価値観や固定概念がどんどん壊されていき、自分の価値観を作り上げていく過程が、きっとあったのでしょう。

「自分の感覚を大切に」

インドの会社を退職し、目標だった中国の会計事務所に転職した木内さんは、海外で過ごした5年間を振り返ってこう言う。

「自分の感覚を大切にすることが大事だと思います」

木内さん自身、インドに転職することを決めた時、「うまくいくわけない」という周囲の反対も受けたという。

「でも、自分のやりたいことを反対されてたからといってなぜ諦めなければいけないのでしょうか？　周りの人の意見や世間の常識に流されてしまっているだけなのではないでしょうか？」

インドには、世界中から色んな人が集まる。日本で働いている時には、接点をもつことがなかったような日本人にも出会った。

会社を辞めて世界一周をしている人、ノマドをしている人、半年フリーターとして働いて残りの半年をインドでのんびり過ごす人、80代になっても旅に出る人——。

日本で働いていると、履歴書に空白を作ってはいけないと思っていたけれど、「何とかなるもんだな」と心が軽くなったという。

「自分のやりたいことをやってみると、価値観が合う人と出会うことができます。やっぱり気持ちに従うことが大事なのではないでしょうか」

２０１８年、インド・チェンナイの市場。路上で日用品が売られ、行きかう人々が購入していく。

☆担当コンサルタント・田村さつきのコメント

Ｚ世代と呼ばれる若者たちと話をしていると、日本人の「同調圧力」の世界観もだいぶ消滅しているなと感じることもあります。とはいえまだまだ、日本人独特の「同調圧力」に苦しんでいる方も多くいます。

初めてお会いした時の木内さんは、いわゆる日本の一流といわれる道を歩んできた絵に描いたような真面目な人に見えました。そんな彼が海外で働きたいと言う。同調圧力に押しつぶされそうになりながらも、彼の内面にはキラリと輝く個性が隠れているのではないかと感じました。このままだと輝きをなくしてしまう。彼の個性が発揮できる環境に身を置いて欲しい。そう感じたのを今でも覚えています。

海外に出ると、当たり前だったことが当たり前でなくなる経験がたくさん待ち構えています。誰しも自分らしさを持っています。世間一般で「いい」とされる価値観や同調圧力から離れた環境に身を置くことで、自分らしさを再発見し、輝かせることができるはずです。

コラム⑧ かつてのもやもや女子から、今のもやもや女子へ（前半）

GJJキャリアコンサルタント 吉田奈未

「この会社ではキャリアが全然描けない。転職するとしても、エージェントは似たような仕事しか紹介してくれない。じゃあ転職しても結局何も変わらない？ もうどうしたらいいんだろう……」

これは、今から約10年前の私自身の姿です。

当時私は、今とは全く違う物流業界で働いていました。グローバルに働くことを希望し、運よく20代でシンガポールでの研修とアメリカ駐在の経験を得ることができました。しかし目標達成後は、そのまま会社で働き続ける目的が分からなくなっていました。

当時勤めていた会社は、業界の特性もありますが、まだまだ男性中心。そもそもなんと、私が女性総合職の第一号入社だったのです。オーナー系の会社であったため、トップダウンでキャリアが決まっていく。自分でキャリアを描こうにも、社内に女性のロールモデルが存在せず、未来図が描けなくなっていました。

私は少し特殊なケースだったかもしれませんが、あれから10年以上たった今でも、女性のキャリアに関する悩みって根本はそれほど変わっていないなということを実感しています。

以前、国家公務員試験に合格した女性が、こんなもやもやをもらしていました。

「仕事には全力を尽くして、海外のポジションも目指したい。30歳くらいで結婚も出産もしたいけれど、そんなタイミングよくできるでしょうか」

日本を背負っていく優秀な人でさえでも結婚や出産のことがちらつき、仕事に全力投球することに不安を抱いています。実はこうした悩みを抱えて、本来希望していた仕事を諦めてしまうケースが多くあるのです。早ければ新卒での就職段階でも。そのため、やりたいことを100%やりきれなかったり、キャリアアップできなかったり、年収が上がらなかったりする現状があるのです。

まだまだ社会のなかに女性のキャリアのロールモデルが少ないのでしょう。そのため、男性のキャリアと比べた時に、結婚や出産をはじめとするいくつかのライフプランがキャリアの「妨げ」のように映ってしまうのではないでしょうか。

私自身も抜け出せなかったこの悩み。一体どうしたらいいのでしょうか。

3 「女性だから」からの解放

女性活躍が叫ばれるようになって数年。しかし、世界経済フォーラム（ＷＥＦ）のジェンダーギャップ報告書（２０２３年版）によると、調査対象１４６カ国のうち、日本は１２５位と大きく遅れをとっています。真の意味で、女性が活躍できる社会は実現されているのでしょうか？

とあるＧＪＪ卒業生が鋭い一言を投げかけてくれました。「１９９０年代に働いていた女性と、１９９０年代生まれの私たちはまだ同じ問題を抱えてるんです」

日本の女性が抱えている課題は一体何なのでしょうか。それは海外に行くことで変えることができるのでしょうか。

【実例】佐々木華江さん（41歳）
子どもを連れて海外移住、夫は主夫！

「人生どん詰まりでした」

１年前の状況を佐々木華江さんはそう振り返る。結婚後、不妊治療の末になんとか２人の子どもを授かり、望んでいた生活を手に入れたはずだった。ただ１つ、仕事を除いて。

佐々木さんは、大学卒業後、外資系の航空会社で客室乗務員（ＣＡ）として勤務していた。大学時代のアメリカ留学の経験と語学力を活かし、世界中を飛び回る日々だった。広い世界を見ることができる仕事にやりがいを感じ「定年まで世界を旅しながら働くんだろうな」とぼんやりと考えていたという。

その考えが変わったのは、30代半ばの頃だった。どうしても子どもが欲しい。そう思った時に、今の生活を変えざるを得なかった。妊娠しにくいことに気付いたからだ。

フライトによる時差で、昼夜関係ない生活をして10年超。それが関係しているのかは分からなかったが、少しでも子どもを授かりやすいように、生活リズムを整えて不妊治療に専念するためには、仕事を辞める以外の選択肢はなかった。ＣＡ職としての採用だったので、内勤に変更することもできなかったのだ。後ろ髪を引かれる思いで、退職を決断した。

幸いなことに、不妊治療の末に念願の第一子を出産。現実に直面したのはその後だった。

子連れ不採用の連続、子連れで正社員はムリ?

元々働くのが好きだったことに加え、これからの養育費を考えて、すぐに正社員を目指して就活を始めた。

しかし、現実は不採用の連続。当時佐々木さんは36歳。子どもは生後6か月。経験を活かせる航空業界やホスピタリティ業界で面接を受けたが、最終面接まで進んでも、最後は不採用だった。

「年齢と子どものことがあってでしょうか。関連する職務経験はあっても、応募職種での経験がないのも課題でした」

夫も働いているものの、子どもにいろいろな経験をさせてあげるためには、共働きで稼いだ方がいい。でも、互いの両親は地方に住んでいて子育てを頼れる状況ではない。保育園の送り迎えと正社員の仕事を両立しながら働けるような環境を探すのは至難の技だった。

最終的に、インターナショナル保育園への就職を決めた。外国籍の英語の先生と担任の先生の間に入って補助をする仕事だった。いい面は英語を活かせることと、子育てに理解がある職場環境。大変な面は、体力と給与だった。

朝早く起きて、自分の子どもの世話をして保育園に送り届けると、満員電車に飛び込む。保育園の最寄り駅に到着したとたん、ダッシュで出勤。17時半まで休む間もなく、２歳児クラスの子ども約20人のおむつ替えから、ありとあらゆるお世話に保護者対応。終わるやいなや、再び満員電車に揺られ、ダッシュで子どもを迎えに行き、ご飯を食べさせ、お風呂に入れて、21時までには寝かしつけをする。夫は平日は帰りが遅い時も、土日出勤の時もあり、週末になっても休めなかった。

もう限界…でも、世界はここだけ？

そんな生活を3年近く続けながらも、希望の第二子も授かることができた。産休中に、出産後また復帰することを考えた時に、もう限界だと気付いた。

望んでいた家族の生活なのに、家族でゆっくり一緒に過ごすことも叶わない。よりよい条件の会社に転職しようとしても、最後に言われるのは「お子さんがいらっしゃるんですね」との言葉。転職活動中に、ＣＡ時代の同僚が転職先の航空会社で出世をし、統括部門のマネージャーとして活躍する姿を見た時は、祝福する気持ちと悔しさやみじめさが入り混じった気持ちを味わった。

同時にこんなことも思い出していた。欧州系の航空会社に勤めていた時の同僚たちの姿だ。フライト後に欧州本社に立ち寄ると、50代の女性の同僚から「1年間休職するの」と告げられた。大学で学びなおすという。学びたいから学ぶ。年齢に捉われない、その選択の自由さに衝撃を受けた。

翻って出産後の自分は、女性であること、母親であること、そして年齢にいつもいつも直面せざるを得なかった。でも、そうした属性によって選択が狭まることのない社会も世のなかにはある。それを知っていた佐々木さんはいつしか、子どもにもグローバルな世界を見せてあげたいという気持ちが強くなっていった。

夫は、佐々木さんと結婚するまで海外に行ったことがなく英語もできない。夫婦共に40代で、未就学の子どもが2人いる。

「無理だろうな」。そう思いながらも、検索で見つけたＧＪＪの海外就職セミナーに参加してみた。そしてその夜、夫にこそっともらした。

「海外で生活してみたいなー」

夫から帰ってきた返事は「人生短いし、楽しもうよ」。その言葉をきっかけに「人生はトライアンドエラー。やってみないと分からないことを心配してもしょうがない」と、海外就職に向けて準備にとりかかった。

佐々木さんが会社で働き、夫が主夫として家事と子育てをメインでする。語学力を考えると、２人にとってそれが自然な選択だった。

日系と外資、面接で見える「主夫」への考え方

準備と面接の結果、マレーシアの外資系ＢＰＯ企業で採用が決まった。面接の際、こんな出来事があった。

ホスピタリティ業界の日系企業のマレーシア現地法人での最終面接でのことだ。佐々木さんが働き、夫が主夫になることは、一次面接から何度も説明していた。それにも関わらず、最後の最後に、駐在員の面接官から聞かれたのは「旦那さんは本当に正社員を辞めて来てくれるんですか？　お子さんが熱を出して帰られると困るんですけど……」という質問だった。

一方で就職を決めた会社では、家族の体制について一度説明すると「はいはい」と何の

疑問は抱かれなかった。むしろ、近くにあるインターナショナルスクールや日本食の情報を教えてくれて「子育てをしやすいと思いますよ」と積極的に理解を示す姿勢を見せてくれた。面白いほど考え方の差が見える出来事だった。

家族4人での生活をもう一度

海外就職を検討し始めてから半年後。佐々木さんはマレーシアで働き始めた。その1か月半後には夫と子ども2人も合流し、家族4人の生活が始まった。

今住むコンドミニアムは、家族4人にとって十分な広さがありながら、日本で暮らしていた時よりも家賃は安い。会社は目の前で、通勤は徒歩45秒。お昼の時間に帰って家族の様子を見ることもでき、多少残業したとしても、家族の時間を犠牲にすることもない。子どもたちの保育園も近所で、ショッピングモールも徒歩圏内にある。

仕事も、正社員としてようやく専念することができる環境が整った。実は、佐々木さんには少し後悔していることがあった。「昇進とかをきちんと考えてこなかったんです」。再就職を目指していた時に、役職経験があることで仕事を選ぶ幅が増えること、そして役職に就くと、自分で時間を管理できるような働き方を手に入れられることに気付いたのだ。

今の仕事では、経験と実力次第で、チームリーダーにつくなど昇進する機会もある。正社員としてマネジメント経験を積むことで、必要になった時に、より条件のいい仕事を見つけていくこともできるのではないかと思っている。

夫婦ともに40代で、海外で新しい生活を始めることに不安がないわけではない。でもマレーシアでは、女性であることや、母親であることから解放され、41歳でも正社員で働く機会を得ることができた。

「自分が主導権を持って生きていくという覚悟を持ったら道が拓けました」

未来はまだ分からない。でもまずは、マレーシアで家族4人で過ごす時間を大切にしながら、子どもに色んな世界を見せてあげたい。そして自分も仕事でやってみたかったことに挑戦してみたい。

「ここで出会う色んなチャンスを活かして、どんな道を歩んでいけるか模索していこうと思います」

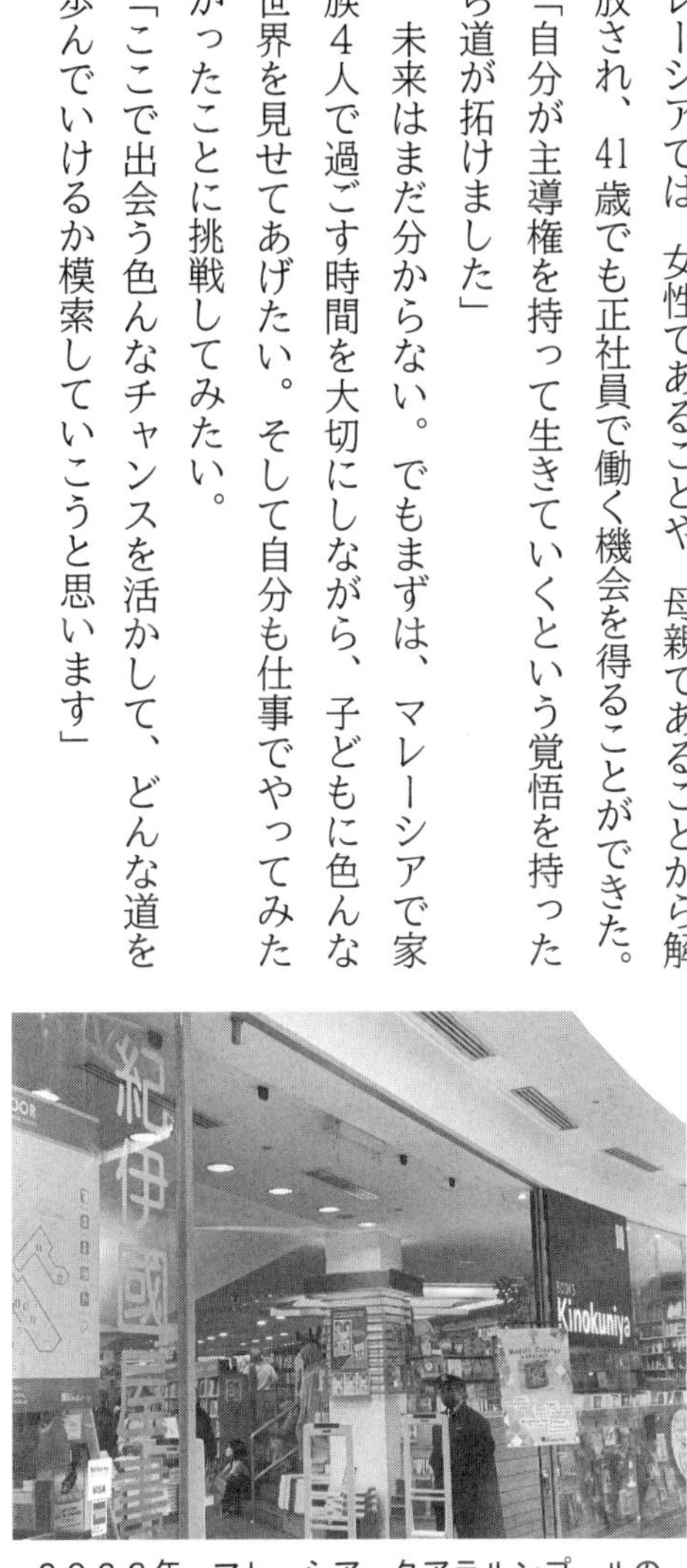

２０２３年、マレーシア・クアラルンプールの紀伊國屋書店。子どもの平仮名練習ドリルなどを購入できる。

☆担当コンサルタント・田村さつきのコメント

実は、佐々木さんのように子ども連れで海外移住を目指す女性からの相談は昔から多いのです。ひとり親家庭の方もいます。ベビーシッターを雇うのが一般的な国もある一方、日本で女性が育児をしながら仕事をすることにまだまだ苦労や息苦しさが伴うのでしょう。しかし、海外就職の実現まではなかなかいかないのが実情です。

佐々木さんとお会いした時に、覚悟が決まっている方だと思いました。マレーシアで家族4人で暮らすという目的のための優先順位がはっきりし、目的のためにはその他の条件を妥協できる柔軟性がありました。航空、ホスピタリティ業界にこだわらなかったからこそ海外就職を実現できたのでしょう。

最初からすべての希望条件が叶うことはなかなかありません。まずは、優先度をつけて挑戦してみる。そして実力を蓄えながら、少しずつ条件を叶えていくという方法もあるのです。こうした覚悟と柔軟性のある人は、どんな道に進んでも最終的にうまくいくのだと思います。

4 「やりたくてもやれない」からの解放

日本特有の雇用制度、新卒一括採用と総合職制度。定年まで働き続けることが前提であれば、時間をかけてさまざまな仕事を学ぶことができるというメリットがあります。

しかし、その前提がなくなってしまったら？

年功序列制度や数年おきに繰り返される人事異動は、やりたいことがやれない、自分の望むキャリアを築きにくいという足枷になってしまうこともあります。こうした現実に直面した入社3～5年目の若手からの相談が、実はいちばん多いのです。

【実例】　大田香奈さん（28歳・仮名）

入社3年目で「いつ辞めようかな」

「いつ会社を辞めようかな」

入社3年目頃から大田香奈さん（仮名）はそんな風に考え始めるようになった。

大学卒業後、新卒で生命保険会社に総合職として入社。総合職入社であれば、支店で2～3年ほど勤務し、その後本社で経験を積むという育成コースが決まっていた。もちろんそれは理解していたものの、3年目に入って仕事に少し余裕が生まれると「会社を辞める」という考えが膨らんできたのだった。

もともと、ずっと同じ会社で働き続けるつもりはなかった。とはいえ、「これをしたい」という明確な目標もなかった。大学で保険制度を研究するゼミに入っていたこともあり、保険という制度は画期的な仕組みだと考えている。そんな保険制度の仕組みを広く理解し、活用してもらいたいという気持ちで入社した。

しかし、支店に配属されて実際に現場に出てみると、先輩たちの営業方法に疑問を持つことも少なくなかった。ノルマがあるのは理解しつつも、「ただ保険を売ることはしたくない」という自分の考えとのギャップに悩んだ。

若手にのしかかる仕事の量も負担も大きかった。6時台に出勤して夜中まで働いたり、休日出勤したりすることもあった。正直、「無意味だな」と感じる仕事も多かった。でも、そうした仕事のために自分の時間を「犠牲」にして長時間働く環境で、「やりがいって何だろう」と考えたりもした。

答えのでない悩み、思い切った決断

「いつ辞めようか」

何度目かの疑問が浮かんだ時に、ふと「今自分が辞めない理由って何だろう」と考えてみた。すると真っ先に浮かんだのが、福利厚生や給与額だった。「それって悲しいなって思ったんですよね」

そんな悩みを抱えつつも、3年の地方勤務を終えた後、業界団体への出向が決まった。中高生や一般の人を対象にして、保険の知識を広める仕事。本来自分がやってみたかった仕事であり、やりがいを感じた。「理論を考えたりとか、人に教えることが好きなんだなと気付きました」

しかし、出向期間は2年。その後、本社に戻った先には、どの部署で何の仕事をするのかを自分の意志で決めることはできない。そして、自分がこの会社でやりたいことも依然として見つからないという悩みを抱え続けていた。

そこで大田さんは思い切った決断に出た。退職することにしたのだ。今の環境に満足をしていない。でも、やりたいことも分からない。「とりあえず環境を変えよう」と思った時に、後を絶たないと動けない自分の性格を考えてのことだった。

ゼロから考えたときに、根底にある思いが方向性を決めた。

「人生一度きり。いろんなことをやってみたい」という気持ちだ。元々、国際コースがある高校で、英語漬けの3年間を送り、TOEICは990点。大学生の頃から「日本生まれ日本育ちだけど、日本だけにいる必要もないな」と考えていたという。

日本で感じていた答えの見えない悩み。環境を変えるなら、日本でなくてもいいかもしれない。海外での就職を視野に入れ始めた。

日本の会社員文化からの脱却

海外就職を検討する過程で、GJJを偶然知ると、案件の紹介まで一気に進んだ。

結果として、マレーシアでイギリス人が設立した会社で独立系ファイナンシャルプランナー（IFA）として働くことがきまった。東南アジアに住む個人を対象に、海外での資産運用をアドバイスする仕事だ。

2023年、大田さんはマレーシアでの仕事を開始した。マレーシアだけではなく、タイも担当することになり、ひと月の半分はタイへ出張している。

職場は全体で20人くらいの少数精鋭の組織。個人の知識や能力が求められる環境だ。日々、マーケットの情報収集やあらゆる金融商品の勉強が必要で、プレッシャーを感じることもある。でも、自分次第でどこまででも挑戦できる環境が心地よくもある。

「日本の会社員文化から脱出できたのは良かった点です」と大田さんは言う。

社内の人間関係や組織全体の合意よりも、合理性や柔軟性が求められる環境。自分の仕事さえしていれば、勤務時間は柔軟に調整できたり、相談があればいつでも社長と直に話して、即決したりすることができる。

マレーシアに住む人たちの姿から学んだこともある。「周りがどう思うかではなく、自分がどう生きていくかが重要なんだなと思いました」。自分がどうしたいのか、という当たり前だけれども、見失っていた姿勢に気付かされた。

やりたいことも見つかった。大学院への進学だ。学びたいのは金融ではなく、食と心理学だ。幼い頃から食べることが好きで、美味しいものを食べると幸せになるというような、食と心のつながりに興味があるからだ。「仕事につながるかではなくて、興味があるからやってみたいんです」

最後に、海外就職をしてみて良かったこともう1つ教えてくれた。

それは、やりたいことをやってみることが怖くなくなったことだ。「やってみたら何とかなるんだなって。だから行動をするのが大事なんだなと思えました」

人生は一度きり。興味があるならやってみよう。そんな気持ちがもっと強くなった。

２０２３年、タイ・バンコクの通勤風景。
多くのタクシーや車で混み合う。

☆担当コンサルタント・田村貴志のコメント

大学生の時、保険制度に興味を惹かれ、新卒では数ある保険会社から最良の制度が整っていると考える会社を選び入社した大田さん。ＧＪＪ相談に来たのは、その厳選した会社で5年働き、退職届を提出した直後でした。総合職特有の職場ガチャにより、やりがいを感じる仕事ができなくなった上に、他にやりたい仕事も見つけられずにいました。

環境を変えるために海外就職を視野に入れた大田さんは、高い英語力を活かして英語圏を広く検討しました。面接では金融関連の案件に対して、経験と知識を存分にアピールすることで、独立系ファイナンシャルプランナー（ＩＦＡ）へ就職が決まりました。現在は東南アジアを舞台に、培ってきた金融知識を土台にして更なる成長を図っています。

希望する仕事やキャリアを思い描いて入社したものの、勤務地や仕事内容が会社任せの総合職制度により、やりたいことがやれないという方は多くいると思います。その結果「そもそも何がやりたいんだ？」と行き詰まってしまう方もいます。解決策の1つは、自分で自分のキャリアの舵を取るということです。働きたい勤務地とやりたい仕事を選んで働くことができる海外就職は、自分のキャリアをデザインできる環境なのです。

コラム⑨　かつてのもやもや女子から、今のもやもや女子へ（後半）

GJJキャリアコンサルタント　吉田奈未

ロールモデルの不在で描けないキャリア。結婚や出産というライフイベントへの向き合い方や社会からのプレッシャー。

そんな先の見えないトンネルから抜け出したきっかけこそ、現地採用だったのです。実は私自身もGJJ卒業生です。私が物流会社でアメリカ勤務をしていた時、現地採用として働く方々に初めて出会いました。その時、自分の意思とタイミングでグローバルに働くという選択があることに衝撃を受けました。

この経験にも後押しされ、もやもやとした悩みを抱えていた私は、思い切って物流会社を退職。田村さつきのカウンセリングを受けて、タイに現地採用として渡航しました。当時、人材領域へ興味が湧いていたタイミングでもあり、業界もチェンジしました。国も業種も変える。大きな人生の決断でした。

今は日本を拠点に仕事をしていますが、現地採用としてタイで働いた経験が私にとっていちばんの財産になっていると思っています。それは、何の保証もないけれど、自分の人生に向き合って、自分の意思で決断をして進む道を決めたからです。「自分で選んだからには」と、無我夢中でスキルを磨き、専門性を作り上げていくことにつながったと考えています。

多くの発見もありました。

タイではどこに行っても女性社長や管理職がいます。性も多様で、他の人がどう思うかより、自分がどうしたいかという基準で自由に生きているように見えました。年収アップのために転職をしていく考えも当たり前です。

賑やかで活気にあふれる環境に身を置いている内に、日本にいる時にがんじがらめにされていた既成概念がガラガラと壊れていきました。社会から感じていた圧力に負けそうになっていたことが嘘のように、生き生きと働けるようになったのです。

私たちを取り巻く社会構造や既成概念はすぐに変わらないかもしれません。でも、一歩違う世界をのぞいてみることであなたの考えを自由にすることはできるのだと思います。

自由な発想の先に、新しい道を作っていくこともできるかもしれません。

第5章　キャリアに失敗はない

「失敗事例はありますか？」という質問

取材やセミナー、高校や大学の講演などで必ず聞かれる質問があります。それは「海外就職の失敗事例はありますか？」という質問です。

逆に私は、「失敗って何ですか？」と聞きたくなります。たとえば、突然解雇されたとします。これは失敗でしょうか？　本当に悪いことなんでしょうか？

「当たり前じゃないですか。仕事ができないと烙印を押されて解雇されるなんて……。失敗以外に何と言えるんですか？」

こう思うかもしれませんね。でも、解雇されて再就職を目指してそこで初めて自分に合う仕事に出会えたら？　この場合も解雇されたことは失敗になるんでしょうか？

人生にはいろいろなことが起きます。もちろんここで仕事だけの話をしているのではないことをみなさんもうお分かりいただけると思います。起きたことは単に「結果」です。それをどう捉えるのか。これが重要なのです。

海外就職で言えば、確かに渡航して数か月で帰国を決めた人たちは過去にいます。

理由はさまざまです。価値観や行動基準の違いに戸惑い「日本だったらこうなのに……」

と比較して、環境に馴染めず心が疲れてしまった人もいます。食が合わずにお腹をくだしたり、手術が必要な病気にかかって帰国を決めた人もいますが、これも失敗でしょうか？

「日本へ帰国する」

この1つの決断を失敗と思うことは、誰かの人生との比較、もしくはあなた自身の価値観が生み出した判断に過ぎません。長いキャリア＝人生のなかで、この出来事がどんな転機になるのかは誰にも分かりません。

「もし失敗したらどうしよう」

これは多くの人が持つ悩みです。確かに、海外就職は環境が大きく変わる決断なので不安に思うのもよく分かります。でも「やってみたい」という気持ちが潜んでいるからこそ悩むのですよね。

最初の「失敗事例はありますか？」との質問に戻るならば、1つだけあるでしょう。

それは「行動しないこと」です。行動しない限り、1年後も3年後も同じ悩みを抱え続けることになります。でも、小さくても行動してみると結果が生まれます。そして、次の進化した悩みに出会い、前に進むことができます。

転機を活かせ

「人生には予期しないことが起きる。だからこそそれを乗り越える姿勢が重要なのだ」

全米キャリア開発協会の会長も勤めたナンシー・K・シュロスバーグが『転機を活かせ』という本で伝えているメッセージです。彼女も私の好きなキャリア理論家の1人です。

シュロスバーグは、人生には予期していた転機と予期していなかった転機、そして期待していたことが起きなかったという転機があるといいます。

予期していた転機とはたとえば、進学や就職、引越し、結婚などがあるでしょう。

予期していなかった転機には、失業、病気、天災、事故など自分ではどうしようもできない出来事が当てはまります。

そして期待していたことが起きなかったという転機というのは、「希望部署に配属されると思ったのにされなかった」や「30歳までに結婚するつもりだったのにできなかった」というような出来事です。

みなさんにも思い当たることはいくつもあると思います。

シュロスバーグはこうした転機を受け止めて、行動するために必要な姿勢について説いています。

この理論を考えるたびに思い出すある女性がいます。10年近く前、こんな海外就職希望者がいました。

エネルギーにあふれる女性で、「海外に行きたい！」という強い意志を持ち、大きな希望と共にインドネシアへ旅立ちました。

しかし、行ってしばらくも経たないうちに、ひどい肌荒れに悩まされるようになったのです。水があわない、ということでした。

あらゆる化粧水を使い、病院で処方された薬や保湿剤を塗っても改善しません。肌がただれたような状態になってしまい、帰国を決意せざるを得ませんでした。

「帰りたくない。なんでこんなことになるんだろう」

そういって泣きじゃくっていた彼女の姿を今でも覚えています。

その後彼女はどうなったのか。なんと帰国してしばらくしてから、自然派の化粧品会社の広報として仕事をすることになったのです。肌の悩みで誰よりも悔しい思いをした。その経験をかってもらったのです。

彼女のキャリアから「転機を活かせとはこのことだな」と会得しました。

これからの新しい働き方

日本の働き方は、今過渡期にあるといえるでしょう。すでに変わり始めていて、そしてこれからもどんどん変わっていくと思います。私はこれは大きなチャンスだと思っています。

２０１３年、ある論文が世界中で話題になりました。オックスフォード大学の２人の研究者が書いた『雇用の未来』です。人工知能（ＡＩ）の急速な発展によって、アメリカの労働者が従事する仕事の47％は10～20年後になくなる可能性が高いという内容でした。

実際にＡＩの進化は目覚ましいです。今の仕事がこれからもあるのか、どんな仕事が未来に生まれるのかは分かりません。しかし、少なくとも今の仕事が、５年後も全く変わらないという可能性は低く、新しいスキルや知見が求められていくでしょう。けれど、興味の方向性にあったスキルを磨き続けることができれば、いたずらに不安に思う必要はありません。

なぜなら新しい仕事が生まれたとしても、それが全くの未知の仕事である可能性も低いからです。どんな仕事であっても、これまでの仕事で培った経験やスキルを応用して、対応していくことになるはずです。

これからの時代は、スキルを提供して対価を得ていく働き方が主流になっていくと思います。対価をどれだけもらうことができるかは、提供するスキルと経験がどれだけ豊富で、どれだけ人に必要とされるかに応じて決まります。

だからこそ、ここで提供できるものがあなたの得意なスキルだったら。人より楽しみながら、楽をして、対価をもらえるのだとしたら。

働くということがつらいことではなく、楽しいことに変わるのではないでしょうか？

私はこの可能性を信じているのです。

いくら得意なことでも、スキルを磨いて経験を積んでいく過程には努力が必要です。苦手なことに対して努力し続けるのは大変ですよね。でも、得意なことであれば、努力もそれほど苦にならないでしょう。自分なりの工夫や楽しみ方も見つけていけるはずです。

あなただけの興味、そして働くなかで磨いた先に生まれるスキルと専門性は、かけがえのないあなただけの武器です。それさえあれば、これからどんな時代がきても乗り越えていくことができます。

「海外で働いた」という経験

加えて、これからの日本では、海外で働いたという経験そのものがとても高く評価されるようになるでしょう。

少子高齢化によって、国内市場は小さくなっています。これは疑いようのない事実です。日本企業が成長を続けるためには、海外での事業の成功が絶対に必要です。その時、単に英語を使って日本式のビジネスをするのではなく、国際的なビジネス感覚をもちながら事業を進めていく必要があります。しかし、残念ながらそうした人材がいないために、事業がうまくいかないケースも多々あるのが現状です。

日本でも、こうした人材は必要になっていきます。外国人人材に日本で活躍してもらう機会も増えるからです。しかし同様に、日本語が流暢で、優秀な外国人人材を採用しても、日本独特の商習慣や考え方に馴染むことができずに退職してしまうケースも多くあります。

こうした時に、海外で働いた経験のある人が1人いたらどうでしょうか？　コミュニケーションひとつをとっても、経験の差が大きく出てくるはずです。

また、日本での事業拡大を狙う外資系企業からも、こうした人材への需要は多くあります。

海外の企業からすると、日本は言語と商習慣の違いから、市場に入り込むのに苦戦する市場だからです。

世界的に見ても日本の商習慣は独特だといわれます。逆の捉え方をすると、日本の商習慣を理解しながら、海外で求められる水準のコミュニケーションスキルやビジネス経験を持っている人材の価値はどんどん高まっていくはずです。

100人いたら100通りのキャリア

人材業界に携わって27年、これまで2万人以上のキャリアをサポートしてきました。同じキャリアは1つもありません。

当然です。キャリアはその人の人生そのものなのですから。

ひとりひとりのキャリアを一緒に考えるたびに、100人いたら100通りのキャリアだなと感じます。だからこそ、そのひとつひとつがとても尊いのです。

年収3千万円稼ぐ人と、時給千円で働く人がいたとしても、どちらのキャリアがより優れているということはありません。同じく、どちらにより価値があるということでもありません。

ただ、キャリアが違うだけなのです。だからこそ、あなたがどうしたいか。どんな人生を送っていきたいのか。それがとても大切なのです。

1章で、キャリアに答えのない時代が到達したとお話ししました。キャリア開発に携わっていると、もう1つの考えに思い当たります。それは、キャリアにはゴールもないということです。

ひとりひとりが答えもゴールもないキャリアに向き合う時代。

捉え方によってはとてもわくわくしませんか?

つまりは「あなたはどんな人生を歩みたいのですか?」という自由で大きな問いかけが目の前に広がっているのです。

戸惑ってしまう気持ちもよく分かります。でも、いきなり答えを出す必要はないのです。

今このタイミングで、あなたのキャリアと悩みに一度真剣に向き合ってみましょう。

あなたは何に夢中になって、何を得意にすることができて、どんな人生を送りたいですか?

そして小さな行動を起こしてみましょう。小さな行動と結果の積み重ねが、少しずつあなたを形作り、自信をくれるはずです。

コラム⑩　フランスマダムからの問いかけ

田村さつき

2023年初夏のフランス・パリで素敵なマダムたちと出会いました。

友人にパリ在住で、着物ドレスデザイナーのTAKAKOさんという方がいます。「TAKAKO HOTTA」というブランドで着物からドレスをオーダーメイドで作る事業をされています。

たかこさんに会いにフランスを訪問した際、TAKAKOさんの友人でアクセサリーデザイナーのLydieさんのお店に行きました。はつらつとした笑顔が素敵なマダムです。

挨拶を交わし、和やかな会話の最中にLydieさんからこう尋ねられました。

「あなたは何をしている人なの？」

思わずどきっとしてしまいました。とてもストレートに「あなたは誰なの？」と聞かれた気がしたからです。

ドギマギしながら「キャリアコンサルタントで、会社経営しているんですよ」と伝えると、Lydieさんも日本でも展示会をしていることやデザインのことなどについていろいろと教えてくれました。

同じ質問でも、日本では「〇〇で働いています」と会社名や業界名で答えることが多いかもしれませんが、ここでは「あなたについて教えて」というシンプルな問いです。

「あなたは何が好きで何をしていて、どんな人なの？」

そんな個人を軸にした関係性が、コミュニケーションの根本にあります。

後日、明るい日差しが眩しいセーヌ川で、TAKAKOさんとシャンパンを片手にピクニックをしました。すると、近くにも午後のひと時を楽しんでいるマダム３人がいました。「あなたの洋服素敵ね！」と声をかけてくれたのをきっかけに、「どこから来たの？」「バカンス？」と和やかな会話が続きました。

振り返ってみれば、マダムたちとの会話のなかでも、夫や子ども、仕事での肩書の話は出てきませんでした。視点がすべて自分軸なんですね。妻や母親や会社員である以前に、自分であるという意識。とってもかっこよく、そして眩しく見えました。

２０２３年５月、着物ドレスデザイナーのTAKAKOさん（右）とアクセサリーデザイナーのLydieさん（中央）＝フランス・パリ、Lydieさんの店の前で

いつでもどこでも誰とでも働ける人材に

私たちＧＪＪは、「グローバル人材塾」の頭文字をとって名付けています。創業して間もない頃、「グローバル人材とは何ですか？」と尋ねられたことがありました。

そこで行きついた答えが「いつでもどこでも誰とでも働ける人材」でした。

「いつでも」というのは、あなたが勤めている会社や業界、日本の経済状況がどうなろうとも。

「どこでも」というのは、日本だけでなくてもどこの国でも。

「誰とでも」というのは、価値観、国籍、文化、習慣の異なる人たちとでも。

いつでも好きな時に、好きな場所で、好きな人と働ける人材になれたとしたら。時代や景気、会社の都合に左右されず、人生の不安も払しょくされるのではないでしょうか。

１，１００人を超えるＧＪＪの卒業生たちは、１，１００通りのキャリアを歩んでいます。最初に渡航した国を気に入りその国の専門家として働き続けている人、別の国へ挑戦する人、日本に帰国して海外に携わる仕事をしている人、留学して大学院に進学する人、海外で起業をする人――。

現地でパートナーを見つけて結婚した人も、夫婦2人で海外就職に挑戦する人も、子どもも連れて一家全員で新しい環境に飛び込む人も、60歳で諦めきれなかった海外就職に挑戦した人もいます。

もちろんその過程では、たくさんの予期せぬ出来事もおこり、多くの出会いと別れがあります。その都度悩み、乗り越えて、また次の悩みに向き合っていく。そして、本当の自分に出会い、歩みたいキャリアを歩んでいっているのです。

この本を読み終わったあなたは、もうキャリアの旅に出ています。

この先にどんな彩豊かなキャリアを描いていくのかは、あなた次第です。

【おわりに】人生の手綱を手にとろう

２０２３年12月、ＧＪＪ大忘年会をマレーシアのクアラルンプールにて開催しました。現地で働くＧＪＪ卒業生はもちろん、中国、香港、台湾、シンガポール、タイ、ベトナム、インドネシア、インド、日本からと各地で働く約40人が集まりました。

コロナ禍で中止した年もありましたが、大忘年会の開催は今年で12回目。世界中から集まるので、開催地はいつもアジア諸国です。年に1回、世界中から飛行機に乗って集まり、現地の食を堪能しながら楽しく語り合い、翌日か翌々日にはそれぞれの国に戻っていきます。

久しぶりに再会する人も、初めて合う人同士も、ここに集まる卒業生たちは、とても楽しそうに〝今この時〟を共有していました。お互いの国や環境の違いを面白がって受け入れる。会社や社会、周りへの不満を口にするのではなく、未来について希望を持って語る。

そんな生き生きとしたエネルギーに満ちあふれていました。

27年間人材業界で働くことに悩む人々と過ごした私は、ある時から、〝輝いている人〟に注目するようになりました。仕事に悩む人がいる一方で、環境に不満をもたずに未来についてわくわくと語りながら仕事をする〝輝いている人〟たち。輝ける理由には、「仕事とのミスマッチが少ない」ということ以外に、何かがある気がしていました。

マレーシアでの忘年会に集まり語り合う卒業生の姿を見て、その何かに気付きました。

それは、みずから覚悟を持って人生の手綱をとったということです。一度立ち止まって自身に本気で向き合い、何を望んでいるのかをはっきりと見つめ、それを叶えていくことを決断した人たち。そうした人たちは、会社や社会、国という所属を頼りにするのではなく、自分自身を信じて生きていく覚悟を持っているのだと思います。


私はそんな人々とたくさん出会ってきました。

海外就職をみずから選ぶことは、古き良き時代の日本の「安定」とされるレールをみずから外れるということです。仕事であれ生活であれ、すべてのことに自分の決断に責任を持たなければならず、さまざまな困難を乗り越えていかなければなりません。そこで頼りになるのは自分だけです。

もちろん、海外就職がただ1つの答えでもゴールでもありません。日本にいても、会社員であっても輝いている人たちはいますし、覚悟を持って行動したとしても、すべての将来の不安や悩みが解消するわけでもありません。

ただ、自分で自分の未来をコントロールできるのであれば、重要なのは会社や社会、国という所属ではなく、自分自身だということに気付きます。そして失敗を恐れず、覚悟を持って経験を重ねていくごとに、自己について深く理解をしていき、揺るぎのない自分を持てるようになるのです。

昭和の日本型雇用制度が崩壊し、これからどんな働き方が主流になるのかははっきりとは分かりません。けれど、輝く人たちはどんな時代がきても切り抜けていける。むしろ、未来の働き方や新しい価値観を作っていくアントレプレナー（創造者）達が、今ここに誕生している。そんな風に考えています。

私はこれからも、自分の人生の手綱をとる人たちの可能性を信じ、背中を押し続けていきます。

最後に、書くことが得意ではない私を、全面的にサポートしてくれた、元朝日新聞記者の吉田真梨さん。どんな人に対しても色眼鏡で見ずに、その人の本質を追求し続けて見事に書き上げた当時の記事に感銘を受け、「私の本を書いて！」と依頼をしたのでした。辛抱強く向かい合って下さったことに深く感謝いたします。

この本を世に出してくださったアメージング出版の千葉慎也さんをはじめ、お付き合い下さった皆様、私に出会ってくれたすべての皆様、そしてこの本を読んで下さっている読者の皆様に心からの感謝を申し上げます。

ありがとうございました。

田村さつき
２０２４年１月

特別メッセージ：「私たちはどう生きるか」東修平・大阪府四條畷市長

あなたはもう、自らの核を見つけられていますか。

私は幸運にも26歳の時に、おぼろげながら自らの核のようなものに気づくことができました。そのきっかけとなったのは、「キャリアの棚卸」です。

当時、外務省で働いていた私は、目の前の圧倒的な仕事量に半ば思考停止し、働く意義を失いかけていました。そうしたなか、ＧＪＪを訪れたことで転機が訪れます。

ＧＪＪで、ゆっくり時間をかけて田村さつきさんと一緒に行なった、０歳から今までの人生を振り返る作業。自分がどんな時に幸せを感じたのか。逆に、どんな時は喜びを感じなかったのか。何より、自分は何を大切にして生きてきたのか。生まれて初めて自らをさらけ出すと同時に、自分自身と真摯に向き合う時間になりました。

この時の棚卸が無ければ、未だに進む道が見出せていなかったかもしれません。さつきさんには、心から感謝しています。

そして、ＧＪＪを通じて野村総合研究所のインド法人に転職。キャリアの棚卸しの結果、将来的には政治に携わることを視野に入れていたので、インドでは経営者の視点を持ちながら、自らの頭を使って働く経験を積むことを意識し、充実した毎日を送っていました。

もちろん、外務省を辞める際にためらいが全く無かった訳ではありません。それでも、失うものを見つめるのではなく、何を大切に生きるのかと自らに問うた時に、自ずと結論は出ていました。

ちなみに、インドという国は、大袈裟でもなく、生きていくだけでも大変な環境です。治安、気候、文化等、いずれも日本人にとっては驚きの連続。そのため、仕事とは別に、生きることの意味を深く考える毎日を送っていました。そうした矢先に母から届いた、父が末期癌であるという知らせ——。

人はいつ死ぬか分からない。そうであれば、悔いの無いように生きよう。

父は余命宣告通り半年で亡くなりましたが、父の死をきっかけに、私は人生の大きな一歩を踏み出すことになりました。そして現在、市長となって早7年が経とうとしています。この間、様々な困難に直面しましたが、自らの核に関しては一度として揺らぐことはありませんでした。むしろ、強くなっているとさえ感じます。

私たちはどう生きるか。それは、出会いと別れのなかでの決断次第です。何を大切にして生きるかを問い続けながら、ともに自分らしい人生を積み重ねていきましょう。

著者　田村さつき

1967年生まれ。起業家、事業家、キャリアコンサルタント。外資系化粧品会社に勤務後、出産・育児により退職。再就職の際に人材ビジネスと出会う。以降27年に渡って「人と仕事のミスマッチをなくす」を信条とし、働く人の悩みに寄り添ってきた。外国人労働者の派遣、再就職を目指す女性のための派遣会社の設立を経て、2010年、GJJ海外就職デスクを創業。海外就職のパイオニア兼専門家として、テレビをはじめとするメディアに多数出演し、経済誌などでの執筆も多い。2022年に同社代表取締役を退任し、現在は会長。新たなグローバルビジネスも構想中。共著に「アジア海外就職～そして旅立った彼らたち～」（2013年、さんこう社）。

構成　吉田真梨

元朝日新聞記者。主に事件・事故や地方政治、行政を担当してきた。歴史や文化的背景を含めた人の生き方に関心があり、街の変遷や人に焦点をあてた記事を得意とする。退職後、アジアでの勤務、社会人留学を経て、現在はフリーランスのライターとして活動。

逆転思考のキャリア　-“本当の自分”に出会う“海外就職”-

2024年3月31日　初版発行

著者　田村さつき
構成　吉田真梨
発行者　千葉慎也
発行所　合同会社 AmazingAdventure
（東京本社）　東京都中央区日本橋3－2－14
新槇町ビル別館第一　２階
（発行所）　三重県四日市市あかつき台1－2－208
電話　050－3575－2199
E-mail　info@amazing-adventure.net
発売元　星雲社（共同出版社・流通責任出版社）
〒112-0005 東京都文京区水道1-3-30
電話　03-3868-3275
印刷・製本　シナノ書籍印刷

ISBN978-4-434-33401-6　C0034